Michoacán

Historia y Geografía *Tercer* grado

Michoacán. Historia y Geografía. Tercer grado

Autor
Fidel Sánchez Sandoval

Supervisión técnica y pedagógica
Subsecretaría de Educación Básica y Normal
de la Secretaría de Educación Pública

Diseño gráfico
Abel Sánchez Sandoval

Ilustración
Jorge Jesús Oseguera Cortés
Abel Sánchez Sandoval

Fotografía
Sergio Sánchez Sandoval

Portada
Diseño: Comisión Nacional de los Libros de Texto Gratuitos
Ilustración: *La gente y paisajes de Michoacán,* Alfredo Zalce,
mural al óleo, 1962.
Palacio de Gobierno, Morelia, Michoacán
Reproducción autorizada: Gobierno del estado
Fotografía: Javier Hinojosa

Primera edición, 1995
Primera edición revisada, 1996
Primera reimpresión, 1997
Segunda edición revisada, 1998
Primera reimpresión, 1999
Segunda reimpresión, 1999
Tercera reimpresión, 2000

Ciclo escolar 2001 - 2002

ISBN 968-29-6176-9

Presentación

Este nuevo libro de texto gratuito tiene como propósito que las niñas y los niños que cursan el tercer grado de la educación primaria conozcan mejor la historia y la geografía de la entidad federativa en la cual viven: su pasado y sus tradiciones, sus recursos y sus problemas.

El plan de estudios de educación primaria, elaborado en 1993, otorga gran importancia al conocimiento que el niño debe adquirir sobre el entorno inmediato: la localidad, el municipio y la entidad. Este aprendizaje es un elemento esencial de aprecio y arraigo en lo más propio, y ayuda a que los niños se den cuenta de que nuestra fuerte identidad como nación se enriquece con la diversidad cultural, geográfica e histórica de las regiones del país.

Este libro es resultado de la colaboración entre la Secretaría de Educación Pública y el Gobierno del estado de Michoacán de Ocampo, y ha sido elaborado por maestros y especialistas residentes en la entidad. Es, por lo tanto, una expresión de federalismo educativo, establecido en la Ley General de Educación.

Con la renovación de los libros de texto se pone en marcha un proceso de perfeccionamiento continuo de los materiales de estudio para la escuela primaria. Cada vez que la experiencia y la evaluación lo hagan recomendable, los libros del niño y los recursos auxiliares para el maestro serán mejorados, sin necesidad de esperar largo tiempo para realizar reformas generales.

Para que estas tareas tengan éxito, son indispensables las opiniones de los maestros y de los niños que trabajarán con este libro, así como las sugerencias de madres y padres de familia que comparten con sus hijos las actividades escolares. La Secretaría de Educación Pública necesita sus recomendaciones y críticas.

Estas aportaciones serán estudiadas con atención y servirán para que el mejoramiento de los materiales educativos sea una actividad sistemática y permanente.

Índice

INTRODUCCIÓN AL ESTUDIO DEL PASADO

EL PASADO DE MI ESTADO

MI ENTIDAD EN MÉXICO

Michoacán forma parte de México

¿Dónde vives?

Esta es una pregunta que se puede contestar de diferentes maneras, algunas respuestas adecuadas son: *en el continente Americano, en los Estados Unidos Mexicanos, en el estado de Michoacán, en la ciudad de Morelia, en la tenencia de Santiaguito, Huetamo, Aquila o de Ziráhuato de los Bernal.*

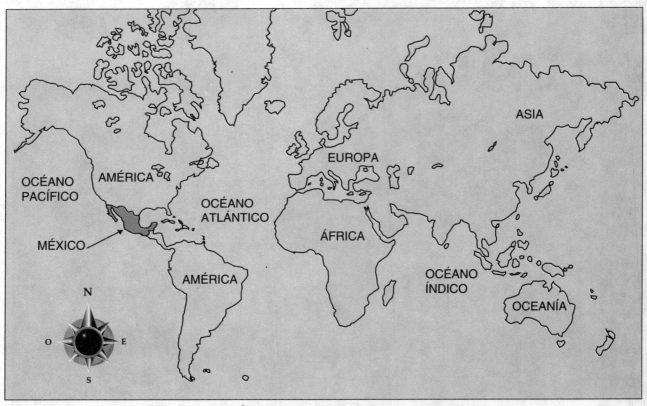

Ubicación de los Estados Unidos Mexicanos en América y en el mundo.

 **A c t i v i d a d**

Después de comentar con los compañeros y el maestro acerca de la información contenida en el mapa, contesta las preguntas.

1. ¿Cómo se llama el continente donde vives?_____

2. ¿Cómo se llama nuestro país? _____

Estados Unidos Mexicanos es el nombre oficial del país que habitamos, también se le conoce como *República Mexicana* o simplemente *México*.

En el mapa siguiente podemos observar los límites de México; para facilitar su ubicación utilizamos un esquema con los puntos cardinales llamado rosa de los vientos, y que siempre señala hacia la parte superior el norte.

Lo anterior nos permite afirmar que *México limita al norte con Estados Unidos de América*. Siguiendo el mismo procedimiento, se pueden establecer los otros límites de México: al sur y este limita con Guatemala y Belize, al sur y oeste con el océano Pacífico y al este con el golfo de México y el mar Caribe.

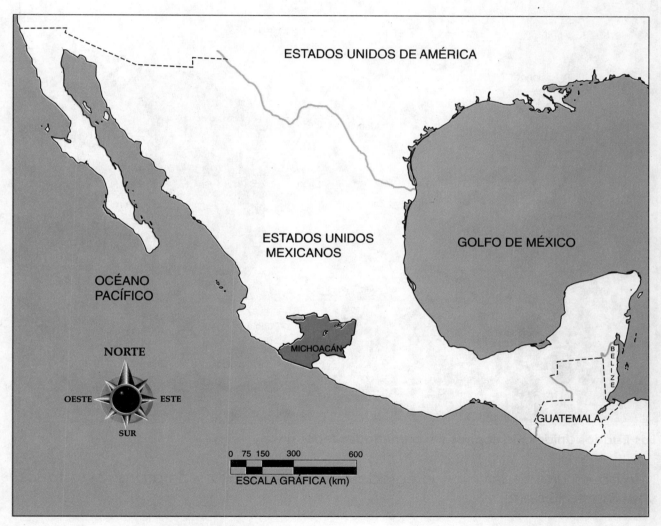

Límites de los Estados Unidos Mexicanos.

El estado en que vivimos se llama *Michoacán de Ocampo*.

Todos los habitantes de Michoacán formamos una colectividad considerada como una unidad y vivimos en un territorio bien determinado. El territorio y la colectividad forman una **entidad**. Junto con otras entidades se establece un pacto de unión para resolver los problemas que las afectan. La unión de todas las entidades se llama federación. Por eso se dice que Michoacán es una entidad federativa y que México es una federación.

Los Estados Unidos Mexicanos y sus entidades federativas.

México es una federación integrada por 32 entidades federativas: 31 estados y un Distrito Federal.

 **A c t i v i d a d**

Haz un mapa de Estados Unidos Mexicanos y localiza el estado de Michoacán.

Michoacán de Ocampo

El origen y significado del nombre de *Michoacán de Ocampo* tiene varias explicaciones.

La primera se relaciona con los primeros pobladores de estas tierras, quienes se establecieron cerca del lago de Pátzcuaro. Los integrantes de este grupo se llamaron michoaques, debido a que se dedicaban a la pesca, y su centro de población se llamó *Mechoacan*, que significa *lugar donde abundan los peces*, o bien, *lugar de pescadores*.

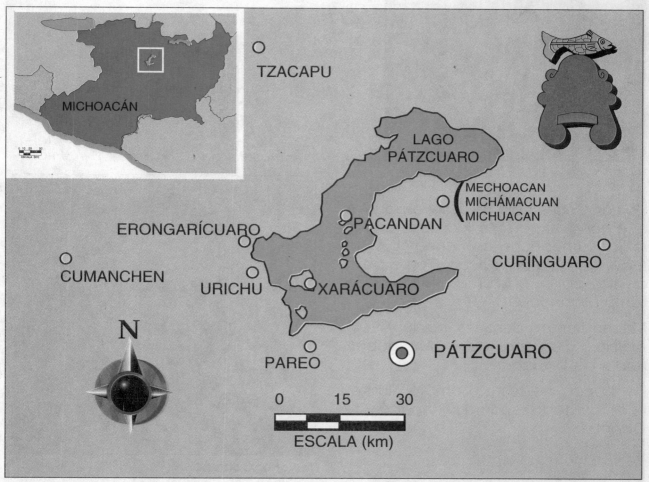

Lago de Pátzcuaro y lugares habitados por los primeros pobladores.

Otra explicación hace referencia a las cuatro provincias del reino P'urhepecha: Huetamo, Tzacapu, Pátzcuaro y *Michámacuan*. Con la última palabra se nombraba a la provincia cuyo centro era Tzintzuntzan. Michámacuan significa *lugar junto al agua*.

11

La tercera explicación se refiere al nombre con el que los mexicas conocían estos lugares. A Tzintzuntzan lo llamaron *Michuacan*, nombre que aparece en el canto al Príncipe de las flores.

Canto a Xochipili (Príncipe de las flores)

Nació el Dios del Maíz

en la casa del descender,

en el lugar donde se levantan las flores,

(el Dios) la Flor.

Nació el Dios del Maíz (Cintéotl)

en el lugar del agua y de la niebla,

donde son hechos los hijos de los hombres,

en el Michuacan de las piedras preciosas.

Hernán Cortés, capitán de los españoles que conquistaron México, se refería al reino P'urhepecha con el nombre de *Provincia de Mechoacan*. Con el paso del tiempo, en el idioma español, se le llamó *Michoacán*.

Mucho tiempo después, nació y vivió *Melchor Ocampo*, quien fue gobernador del estado.

En honor de este hombre ilustre, nuestro estado se llama *Michoacán de Ocampo*.

Melchor Ocampo.

 Estados Unidos Mexicanos es el nombre oficial de nuestro país.

El estado de Michoacán es una de las entidades federativas que forman a la República Mexicana.

Mechoacan significa "lugar donde abundan los peces".

Michoacán de Ocampo es el nombre de nuestro estado, en homenaje a Melchor Ocampo.

Michoacán y sus vecinos

Ya sabemos que Michoacán es una entidad federativa que forma parte de México, ahora conoceremos su ubicación y las entidades colindantes.

Michoacán de Ocampo se localiza en el centro de la región oeste de México. El territorio michoacano se ubica entre los ríos Lerma y Balsas, el lago de Chapala y el océano Pacífico, que forma la costa michoacana de aproximadamente 213 kilómetros de longitud.

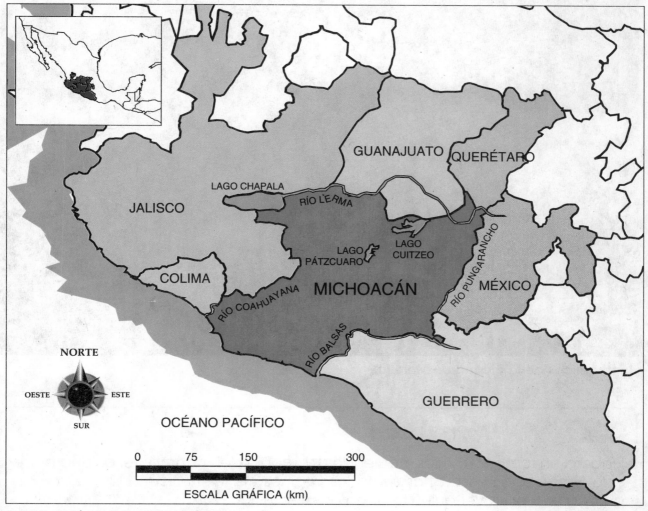

Localización del estado de Michoacán.

El estado de Michoacán de Ocampo limita al norte con los estados de Jalisco y Guanajuato, al norte y este con el estado de Querétaro, al este con los estados de México y Guerrero, al oeste con los estados de Jalisco y Colima y con el océano Pacífico, al sur con el estado de Guerrero y con el océano Pacífico.

Cada estado tiene una *capital*, ciudad en la que se encuentra el gobierno estatal, integrado por el gobernador del estado, la Cámara de Diputados o Congreso del estado y el Supremo Tribunal de Justicia.

Morelia es la capital del estado de Michoacán de Ocampo.

Panorámicas de la ciudad de Morelia.

 **Actividad**

Elabora un rompecabezas, haciendo una copia del mapa anterior. Una parte será Michoacán y las otras serán los vecinos de Michoacán. Juega con un compañero para ver quién lo arma en menos tiempo.

 **Actividad**

Investiga y escribe los nombres de las capitales de aquellos estados que limitan con Michoacán.

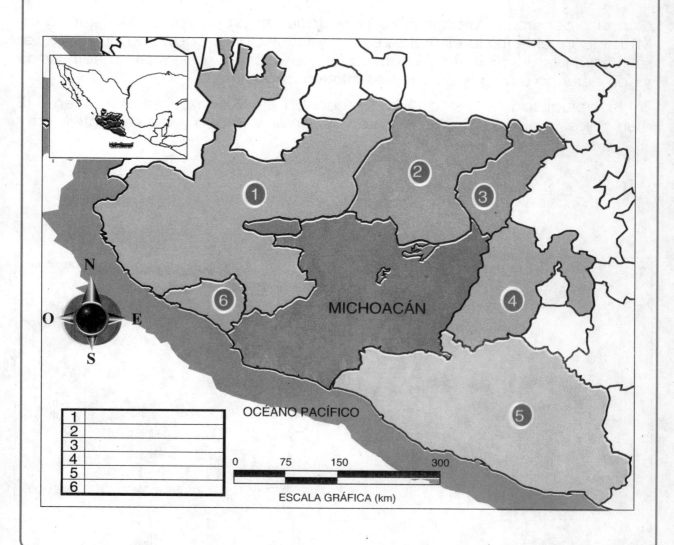

1	
2	
3	
4	
5	
6	

OCÉANO PACÍFICO

MICHOACÁN

0   75   150   300

ESCALA GRÁFICA (km)

 El estado de Michoacán está ubicado en el centro de la región oeste de la República Mexicana.

 Michoacán está limitado por el océano Pacífico y por los estados de Colima, Jalisco, Guanajuato, Querétaro, México y Guerrero.

Morelia es la capital de Michoacán y en esta ciudad se encuentra el gobierno estatal.

Municipios y localidades michoacanos

Con el propósito de organizar las actividades de la población del estado de Michoacán, el territorio estatal se divide en municipios. Cada uno de los cuales se integra por un conjunto de habitantes que viven en un territorio determinado y con derecho a un gobierno **representativo** y **popular**.

En la actualidad, el estado de Michoacán de Ocampo se divide en 113 municipios. Su ubicación y nombres aparecen en el mapa y lista siguientes.

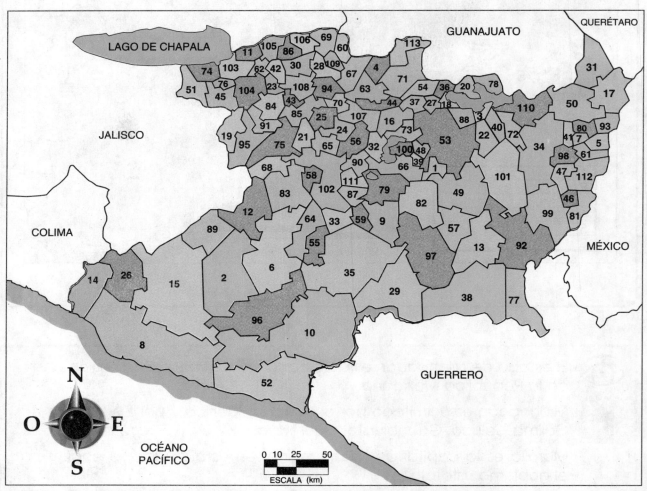

División del estado de Michoacán en 113 municipios.

Nombres de los municipios del estado de Michoacán

1	Acuitzio	40	Indaparapeo	78	Santa Ana Maya
2	Aguililla	41	Irimbo	79	Salvador Escalante
3	Álvaro Obregón	42	Ixtlán	80	Senguio
4	Angamacutiro	43	Jacona	81	Susupuato
5	Angangueo	44	Jiménez	82	Tacámbaro
6	Apatzingán	45	Jiquilpan	83	Tancítaro
7	Áporo	46	Juárez	84	Tangamandapio
8	Aquila	47	Jungapeo	85	Tangancícuaro
9	Ario	48	Lagunillas	86	Tanhuato
10	Arteaga	49	Madero	87	Taretan
11	Briseñas	50	Maravatío	88	Tarímbaro
12	Buenavista	51	Marcos Castellanos	89	Tepalcatepec
13	Carácuaro	52	Lázaro Cárdenas	90	Tingambato
14	Coahuayana	53	Morelia	91	Tingüindín
15	Coalcomán	54	Morelos	92	Tiquicheo de Nicolás Romero
16	Coeneo	55	Múgica		
17	Contepec	56	Nahuatzen	93	Tlalpujahua
18	Copándaro	57	Nocupétaro	94	Tlazazalca
19	Cotija	58	Nuevo Parangaricutiro	95	Tocumbo
20	Cuitzeo			96	Tumbiscatío
21	Charapan	59	Nuevo Urecho	97	Turicato
22	Charo	60	Numarán	98	Tuxpan
23	Chavinda	61	Ocampo	99	Tuzantla
24	Cherán	62	Pajacuarán	100	Tzintzuntzan
25	Chilchota	63	Panindícuaro	101	Tzitzio
26	Chinicuila	64	Parácuaro	102	Uruapan
27	Chucándiro	65	Paracho	103	Venustiano Carranza
28	Churintzio	66	Pátzcuaro		
29	Churumuco	67	Penjamillo	104	Villamar
30	Ecuandureo	68	Peribán	105	Vista Hermosa
31	Epitacio Huerta	69	La Piedad	106	Yurécuaro
32	Erongarícuaro	70	Purépero	107	Zacapu
33	Gabriel Zamora	71	Puruándiro	108	Zamora
34	Hidalgo	72	Queréndaro	109	Zináparo
35	La Huacana	73	Quiroga	110	Zinapécuaro
36	Huandacareo	74	Cojumatlán de Régules	111	Ziracuaretiro
37	Huaniqueo	75	Los Reyes	112	Zitácuaro
38	Huetamo	76	Sahuayo	113	José Sixto Verduzco
39	Huiramba	77	San Lucas		

Fuente: INEGI y Gobierno del Estado de Michoacán, *Anuario Estadístico del Estado de Michoacán*. Edición 1992.

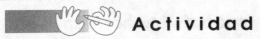 **Actividad**

Lee los textos de información y colorea, con el color correspondiente, los municipios a que se refiere cada uno.

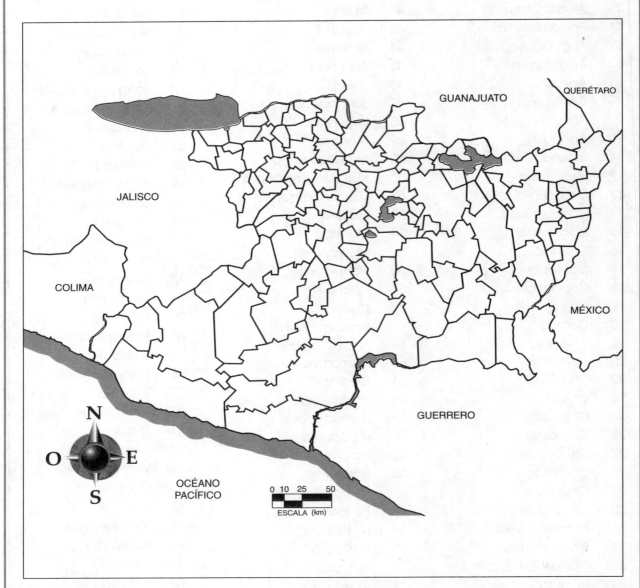

■ Michuacan es el nombre que los mexicas dieron a Tzintzuntzan.

■ Tepalcatepec y Buenavista se encuentran al oeste del estado.

■ Maravatío y Zinapécuaro limitan al norte con el estado de Guanajuato.

■ Morelia es la capital del estado de Michoacán y, además, un municipio.

■ Aquila y Lázaro Cárdenas limitan con el océano Pacífico.

■ Huetamo y San Lucas se localizan al este del estado.

La localidad o centro de población donde residen las autoridades de un municipio recibe el nombre de *cabecera municipal*.

Los límites de los municipios se definen a través de acuerdos que toma el gobierno del estado. Así, cada municipio colinda con otros y, en algunos casos, uno de sus límites da hacia algún estado vecino del nuestro.

Los que limitan con el municipio de Salvador Escalante se pueden observar en el mapa siguiente.

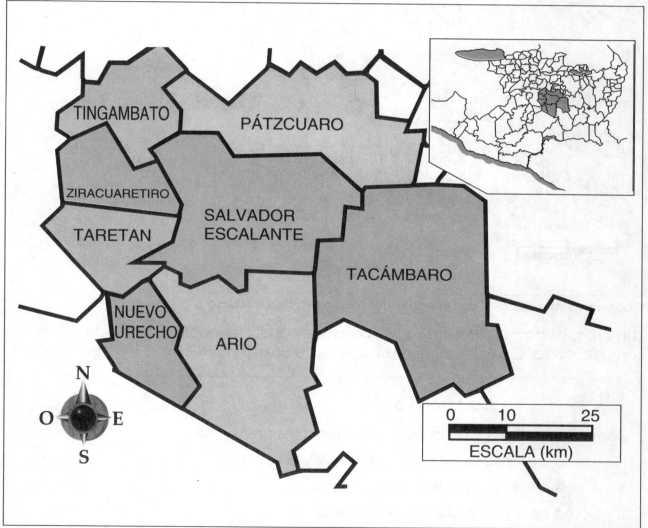

Municipio de Salvador Escalante y municipios colindantes.

 **A c t i v i d a d**

Dibuja en tu cuaderno un mapa de Michoacán, localiza el municipio en que vives y los municipios colindantes. Escribe los nombres correspondientes.

Los municipios se dividen en tenencias formadas por varias localidades: fincas rurales, rancherías, ejidos, parajes, barrios, comunidades, congregaciones, pueblos o ciudades. La localidad principal se denomina *cabecera de tenencia*. Como un ejemplo, en el mapa siguiente se encuentra la división del municipio de Zitácuaro en tenencias.

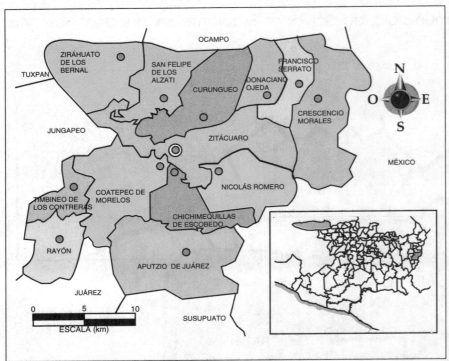

Cabeceras municipal y de tenencia del municipio de Zitácuaro.

También, podemos citar que las localidades de la tenencia de Francisco Serrato son La Capilla, Los Fresnos, López Mateos, La Soledad, El Rosario y Santa María.

 A c t i v i d a d

Comenta con tus compañeros y contesta las preguntas.

1. ¿Cómo se llama la localidad donde vives? _____

2. ¿A qué municipio pertenece? _____

3. ¿Cómo se llama la cabecera municipal? _____

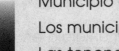 El estado de Michoacán se divide en 113 municipios.

Municipio es cada una de las partes en que se divide un estado.

Los municipios de Michoacán se dividen en tenencias.

Las tenencias se forman con varias localidades.

Organización municipal

Hemos aprendido que el estado de Michoacán se divide en municipios.

Cada municipio se rige bajo un *gobierno municipal* que se llama Ayuntamiento, el que se encarga de organizar las actividades de los habitantes de todas las localidades.

El Ayuntamiento tiene la facultad de otorgar permisos para establecer mercados y comercios. Puede crear empresas municipales para prestar servicios a los habitantes. Además, procura resolver los problemas de los ciudadanos.

Una de las obligaciones del Ayuntamiento consiste en proporcionar los servicios municipales a sus habitantes. Las ilustraciones muestran algunos ejemplos.

Agua potable y alcantarillado.

Limpia.

Educación.

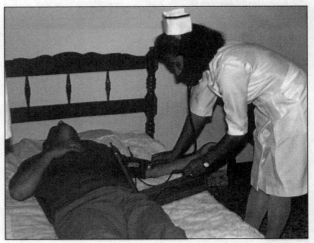
Salud.

21

Panteones.

Calles, parques y jardines.

Alumbrado público.

Mercados y centrales de abasto.

Rastros.

Policía y tránsito.

 **Actividad**

Investiga acerca de los servicios municipales que reciben los habitantes de tu localidad y pregunta sobre las actividades que llevan a cabo las personas que trabajan en ellos.

Haz un escrito titulado: *Servicios municipales en mi localidad*, indicando los resultados de tu investigación. Ilustra tu trabajo con fotografías o con dibujos.

El Ayuntamiento se integra con un *presidente municipal*, también llamado alcalde, un *síndico* y un grupo de cinco o más *regidores*. Todos los miembros del gobierno municipal son electos, cada 3 años, mediante el **voto** de los ciudadanos del municipio.

Para el buen funcionamiento de los Ayuntamientos, sus miembros celebran reuniones, llamadas de cabildo, en donde se toman acuerdos para resolver los problemas del municipio.

Las funciones esenciales del presidente municipal son gobernar al municipio y ejecutar los acuerdos del Ayuntamiento. El síndico actúa como agente del Ministerio Público para resolver los problemas judiciales de los habitantes. Los regidores desempeñan las comisiones que les encomienda el Ayuntamiento y proponen los acuerdos que deben dictarse para mejorar los servicios municipales.

El presidente municipal recibe la colaboración de un *secretario* y un *tesorero* municipales. El secretario tiene la obligación de levantar las actas de las reuniones del Ayuntamiento y debe atender los asuntos que le encargue el presidente municipal. El tesorero se responsabiliza del manejo de los valores y bienes del Ayuntamiento, también recibe los impuestos y contribuciones que le corresponden al municipio.

El Ayuntamiento radica en la cabecera municipal. En las otras localidades del municipio, de acuerdo con su importancia, se nombra un *jefe de tenencia*, un *encargado del orden* o un *jefe de manzana*. Estas autoridades municipales colaboran con el presidente en el gobierno de sus localidades.

Palacio municipal de Tacámbaro.

En cada municipio, los ciudadanos tienen derecho a elegir a los miembros del Ayuntamiento y a recibir el beneficio de los servicios que ofrece el gobierno municipal.

Los ciudadanos tienen obligación de cumplir con todas las leyes y auxiliar a las autoridades en las actividades que llevan a cabo.

Los niños también tienen derechos y obligaciones.

Algunos derechos de los niños son: tener ayuda para su desarrollo físico, mental y social; ser comprendidos y queridos por sus padres; disfrutar de alimentación y vivienda adecuadas; recibir educación.

Las obligaciones de los niños son: colaborar en los quehaceres de la casa; asistir a la escuela; respetar a los otros niños y a los adultos; asistir a los actos cívicos organizados por la escuela.

Los niños tienen derecho de asistir a la escuela.

El Ayuntamiento se integra con un presidente, un síndico y varios regidores. El presidente municipal se auxilia con un secretario y un tesorero. También lo apoyan los jefes de tenencia, los encargados del orden y los jefes de·manzana.

Los ciudadanos de un municipio eligen, cada 3 años, a los miembros del Ayuntamiento, quienes ejercen el gobierno municipal.

El Ayuntamiento de un municipio tiene su sede en la cabecera municipal.

Los ciudadanos y los niños de cada municipio tienen derechos y obligaciones.

LA

ENTIDAD

Territorio estatal

La palabra *territorio* se usa para referirse a la porción de la superficie terrestre que pertenece a un país, a un estado o a un municipio.

El territorio del estado de Michoacán tiene una extensión aproximada de 58 mil 200 kilómetros cuadrados.

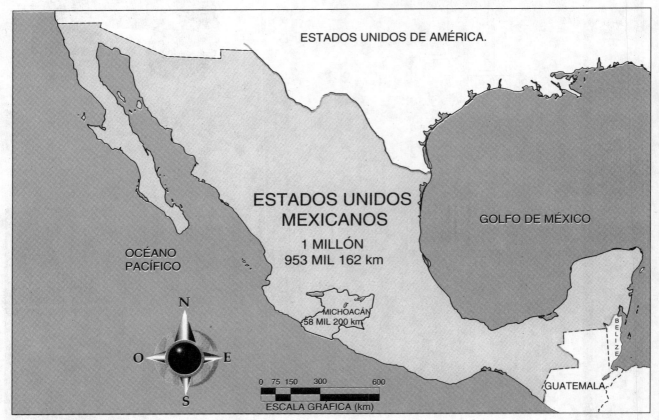

Territorio nacional y territorio estatal.

El estado de Michoacán tiene una gran diversidad de elementos naturales y una gran riqueza cultural que lo distingue y caracteriza.

 **A c t i v i d a d**

Elabora un croquis del recorrido de tu casa a la escuela. Ubica los elementos naturales y culturales propios de tu localidad.

Panorámica de Tuxpan.

Lago de Cuitzeo.

Caleta de Campos.

Balneario en Huandacareo.

La riqueza cultural de los habitantes de Michoacán se manifiesta en sus tradiciones, sus costumbres, en las lenguas que hablan, en su historia y la manera de expresar su arte. El clima, el relieve, la vegetación y la fauna conforman los elementos naturales de la entidad.

El territorio del estado de Michoacán tiene una extensión aproximada de 58 mil 200 kilómetros cuadrados.

El relieve, el agua, el clima, la vegetación, los animales y las actividades de la población conforman los elementos naturales y culturales del estado.

El relieve michoacano

¿Qué lomas, cerros o superficies planas observas alrededor de tu localidad?

El paisaje michoacano presenta un relieve que se considera de los más accidentados del país. El relieve del territorio tiene grandes **elevaciones** e importantes **depresiones**.

Cuando los cerros o montañas se presentan en gran cantidad se constituye un sistema montañoso. El relieve de Michoacán forma parte de dos de los grandes sistemas montañosos de México: *la Sierra Volcánica Transversal* y *la Sierra Madre del Sur*.

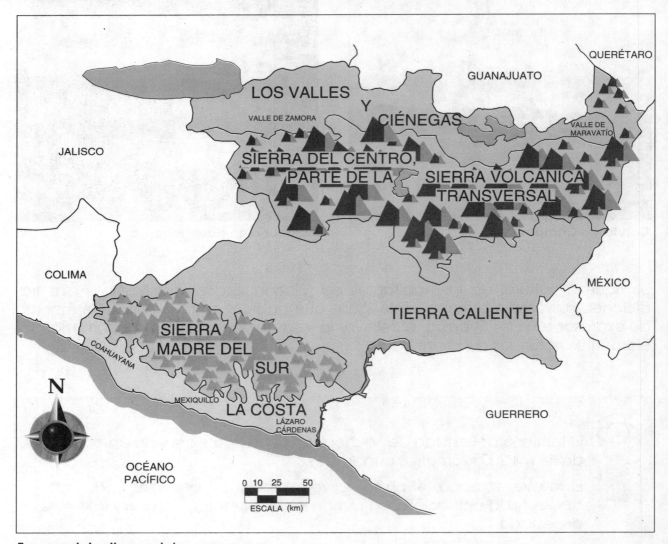

Formas del relieve michoacano.

En el norte del estado, el relieve es generalmente plano. Allí se encuentran los valles de Maravatío y Zamora.

Valle de Maravatío.

Volcán Paricutín.

La Sierra Volcánica Transversal, en Michoacán, se llama *Sierra del Centro*. En ella se encuentran numerosos cerros, entre los que destacan: pico de Tancítaro, cerro Patamban, cerro de San Andrés, cerro San Miguel y el volcán Paricutín. Otros volcanes notables son: pico de Quinceo, los volcanes de Zacapu, las 55 bocas volcánicas de la sierra de Tancítaro y las 26 bocas volcánicas que se localizan en la misma zona que el Paricutín.

Entre la Sierra del Centro y la Sierra Madre del Sur se localiza una parte plana del territorio michoacano, denominada Tierra Caliente. En ella se encuentran los valles de Apatzingán, Tepalcatepec, Churumuco, Tuzantla, Tiqui-cheo y Huetamo

Paisaje de Tierra Caliente.

Los cerros son de menor altura que los de otros lugares. Sobresalen los de Inguarán, Curucupaceo, picos de Cucha y el volcán del Jorullo.

La Sierra Madre del Sur, en Michoacán, recibe los nombres de Sierra de Coalcomán, Sierra de Chinicuila, Sierra de Arteaga y Sierra de Pinzandarán, entre otros. En las localidades de Aguililla y Coalcomán se alcanzan las mayores alturas, como los cerros de Coalcomán y Cantador.

La costa michoacana se presenta como una franja larga, limitada por el océano Pacífico, la Sierra Madre del Sur y los estados de Colima y Guerrero.

En algunas partes forma planicies como las de Lázaro Cárdenas, Coahuayana y Mexiquillo, limitadas por las ramificaciones montañosas de la Sierra Madre del Sur.

Sierra Madre del Sur.

 **Actividad**

Usando un pedazo de madera, o de cartón, y plastilina de varios colores, elabora una maqueta con las formas del relieve michoacano. Copia los nombres que aparecen en el mapa de la página 28.

Recuerda que el territorio michoacano tiene partes planas y elevaciones.

 El relieve del territorio michoacano es muy accidentado, forma grandes elevaciones y depresiones. Las regiones planas son pequeñas.

Michoacán contiene partes de la Sierra Volcánica Transversal y de la Sierra Madre del Sur.

La costa michoacana contiene partes planas.

El agua en el territorio michoacano

| ¿Para qué se usa el agua? |

El agua es un recurso muy importante para el desarrollo de la vida, ya que todos los animales, las plantas y los seres humanos dependemos de ella para subsistir.

En el estado de Michoacán es común encontrar ríos, lagos, manantiales. El agua es aprovechada por sus habitantes para la alimentación, la agricultura, la industria y la producción de energía eléctrica. Por eso es importante cuidarla para que no se agote.

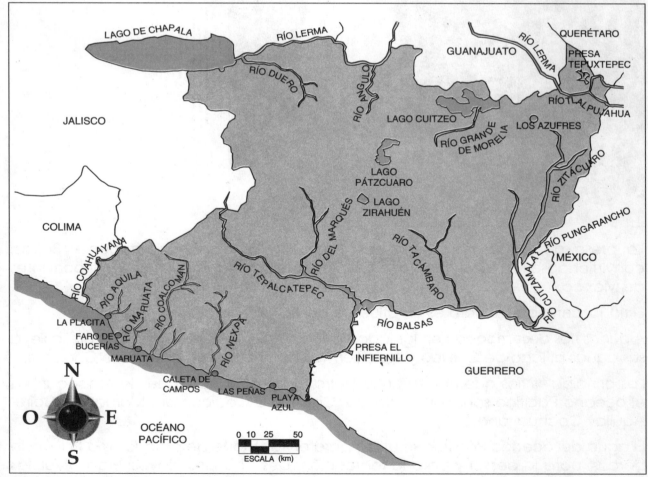

Principales ríos, lagos y playas de Michoacán.

El agua de las lluvias que caen sobre las montañas y otras partes altas del relieve, se escurre formando cauces o caminos, hasta llegar a un lago, una presa, un cauce mayor o el mar. De acuerdo con la cantidad de agua, los escurrimientos reciben el nombre de arroyos o ríos.

El río Lerma nace en el Estado de México y recorre parte del territorio michoacano. Recibe el agua de otros ríos, entre los que se encuentran: Tlalpujahua, Angulo y Duero. El agua del Lerma abastece a la presa de Tepuxtepec, se usa para regar las tierras del valle de Maravatío y para producir energía eléctrica.

El río Balsas nace en el estado de Puebla. En Michoacán, se alimenta con el agua de los ríos Cutzamala, Tacámbaro o Carácuaro y Tepalcatepec.

El río del Marqués o Cupatitzio es un **afluente** del río Tepalcatepec y produce una de las caídas de agua más bellas de Michoacán, llamada *La Tzaráracua*.

La Tzaráracua.

La presa de *El Infiernillo* recibe las aguas de los ríos Tepalcatepec y Balsas, convirtiéndose en una fuente de energía eléctrica de las más importantes de México.

El río Tuzantla o Zitácuaro es un afluente del río Cutzamala.

Algunos ríos **desembocan** en los lagos; por ejemplo, el río Grande de Morelia lleva sus aguas al lago de Cuitzeo y el río Lerma desemboca en el lago de Chapala.

Los principales ríos que nacen en la Sierra Madre del Sur y que desembocan en el océano Pacífico son: Balsas, Nexpa, Cachán o Coalcomán, Maruata o Coíre, Aquila y Coahuayana.

El agua del océano Pacífico se utiliza para el transporte de productos a través de barcos, para la pesca y para la recreación. Destacan las playas: Playa Azul, las Peñas, Caleta de Campos, Maruata, Faro de Bucerías y la Placita.

Los principales lagos de Michoacán son Cuitzeo, Pátzcuaro y Zirahuén y una parte del lago de Chapala.

El lago de Pátzcuaro es importante en la historia de Michoacán, entre otras razones, por los habitantes **prehispánicos** que vivieron a su alrededor.

Lago de Pátzcuaro.

Manantiales de Los Azufres.

Las corrientes o depósitos subterráneos de agua pueden producir manantiales. Los que se encuentran en Los Azufres son aguas termales y se utilizan para producir energía eléctrica.

 Actividad

Haz un escrito titulado: *El agua en mi comunidad.*

Si vives cerca de un río, lago, presa, manantial o del océano Pacífico, señala las actividades que se llevan a cabo con el agua.

En Michoacán, el agua se presenta en forma de ríos, lagos, manantiales y el mar.

Los principales ríos que corren por territorio michoacano son el Lerma, el Balsas, el Cutzamala y el Tepalcatepec.

Los lagos de Michoacán son Pátzcuaro, Cuitzeo, Zirahuén y parte de Chapala.

El océano Pacífico forma la costa michoacana.

Climas de Michoacán

La temperatura, la cantidad de lluvia y el viento son los elementos que determinan el *clima* de un lugar; aunque también la cercanía o lejanía de un sitio con respecto al mar y el relieve son algunos de los factores que influyen.

En Michoacán se presentan los siguientes climas: *templado con lluvias todo el año, templado con lluvias en verano, cálido con lluvias en verano y cálido con lluvias escasas durante el año.*

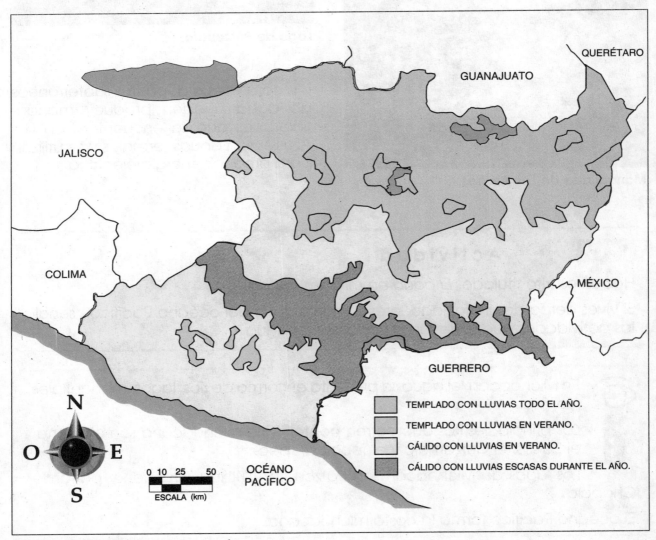

Climas del estado de Michoacán.

La variedad de climas que hay en Michoacán se debe a lo accidentado de su relieve; en las zonas más altas, la mayor parte del año, el clima es templado, la región que se encuentra entre los dos sistemas montañosos tiene un clima más cálido y llueve menos, porque las nubes se detienen con las cumbres de las montañas. Toda la zona que da hacia el océano Pacífico recibe la influencia de los vientos que vienen del mar, por esto su clima es cálido con lluvias en los meses de junio, julio y agosto, principalmente.

 **Actividad**

Haz un mapa de los climas de Michoacán. Localiza el municipio donde vives y escribe el tipo de clima que se presenta en tu localidad.

Los principales elementos del clima son la temperatura y la cantidad de lluvia.

Los climas que se presentan en Michoacán son templado con lluvias todo el año, templado con lluvias en verano, cálido con lluvias en verano y cálido con lluvias escasas durante el año.

Transporte y comunicación

¿Cómo se transportan las personas y las cosas de un lugar a otro?

¿Cómo nos enteramos de los hechos que suceden en otros lugares?

 **Actividad**

Describe el camino que se sigue para ir de tu localidad a la ciudad de Morelia.

_____

_____

_____

(Si vives en Morelia, resuelve la actividad considerando a Uruapan)

Cuando asistimos a un centro comercial, o a un mercado, nos damos cuenta de que allí se venden productos que han sido hechos en otros lugares. ¿Cómo llegaron esos productos hasta nuestra localidad?

El transporte de personas y cosas se hace utilizando diferentes *medios y vías*. Los medios de transporte permiten el traslado de personas y mercancías de un lugar a otro; los más usados, en la actualidad, son el tren, los autobuses y los aviones.

En ocasiones tenemos posibilidad de escoger por cuál vía de comunicación nos trasladaremos. Por ejemplo, para viajar de Morelia a Uruapan se puede usar la carretera, la vía del tren o una ruta aérea.

Diferentes medios de transporte.

36

Los siguientes mapas indican las principales carreteras, vías férreas y aeropuertos del estado de Michoacán.

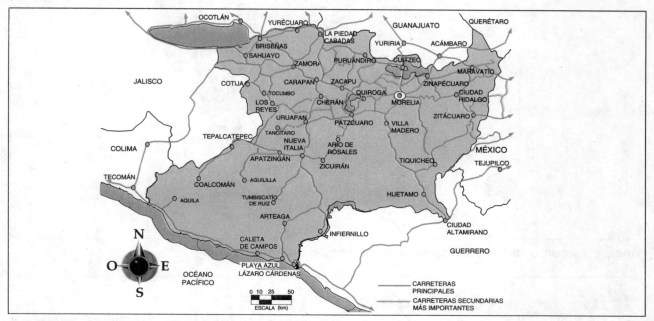

Principales carreteras en el estado de Michoacán.

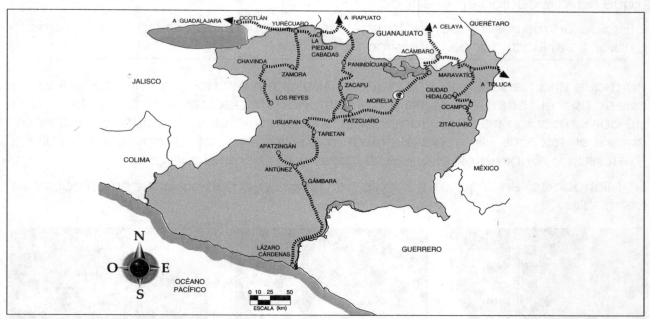

Principales vías férreas en el estado de Michoacán.

 Actividad

Haz una lista de los objetos que hay en tu casa.

Investiga de dónde los trajeron y el medio de transporte que se usó para que llegaran hasta tu hogar.

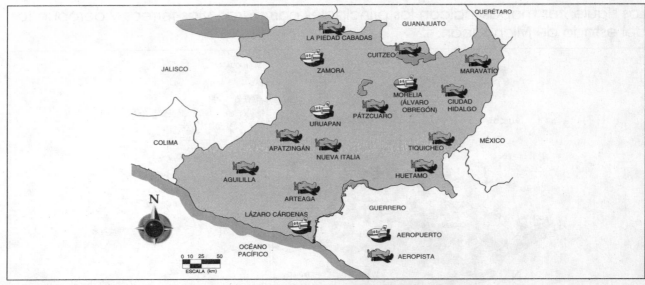

Principales aeropuertos y aeropistas en el estado de Michoacán.

 **A c t i v i d a d**

Por medio de un periódico, el radio o la televisión, entérate de algún hecho que haya sucedido en el estado.

Escribe un resumen y comenta con tus compañeros la noticia. En un mapa, ubiquen el lugar donde ocurrieron los hechos.

Para que una persona le comunique a otra algún hecho que haya sucedido, se puede usar el correo, el telégrafo o el teléfono. Éstos reciben el nombre de medios de comunicación personal. También se comienzan a usar medios más modernos, como el fax que sirve para enviar mensajes escritos a través de la línea telefónica y el correo electrónico, a través de la computadora.

En Michoacán, en algunos sitios alejados, se usa el radio para comunicaciones personales.

Principales medios de comunicación personal.

El periódico, las revistas, la radio y la televisión se usan para comunicar a gran cantidad de personas los acontecimientos que son importantes. Debido a que la comunicación es recibida por muchas personas, se llaman medios de comunicación masiva.

Los medios de comunicación personal y los medios de comunicación masiva permiten que los hechos sucedidos en un lugar determinado sean conocidos por personas que no estuvieron presentes y viven en otros países, en otros estados o en otros pueblos.

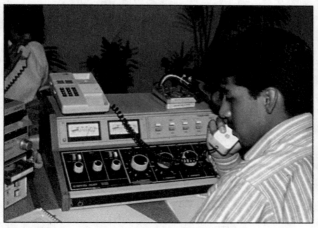

Medios de comunicación masiva.

Los medios de transporte sirven para llevar personas y cosas de un lugar a otro.

En Michoacán, el medio de transporte más utilizado lo constituyen los autotransportes, también son usados los trenes y los aviones.

La comunicación personal de los michoacanos se lleva a cabo mediante el teléfono, el correo, el telégrafo y el fax.

Los medios de comunicación masiva más usados en Michoacán son la radio, la televisión, el periódico y las revistas.

Regiones de Michoacán

Para conocer mejor los recursos naturales de Michoacán y las actividades de sus habitantes, el estado se divide en seis regiones. Los nombres de las regiones son Centro, Ciénega, Occidente, Oriente, Tierra Caliente y Costa.

En casi todo el territorio michoacano se practica la agricultura, la ganadería y la explotación forestal. Algunos habitantes trabajan en la industria y en la prestación de servicios. El comercio es otra actividad desempeñada por los michoacanos.

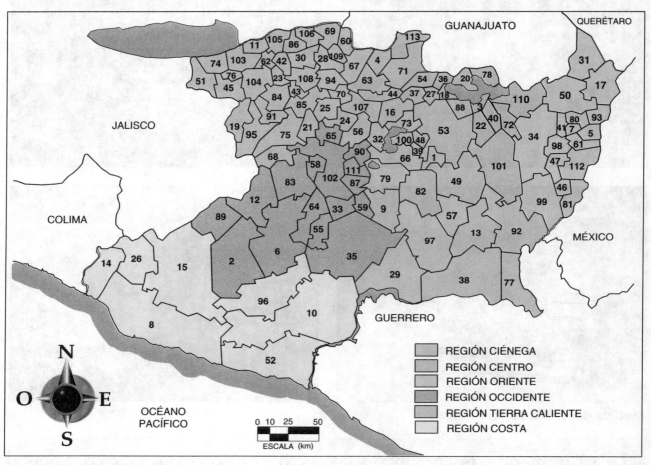

Regiones del estado de Michoacán.

Los principales cultivos de la entidad son: maíz, frijol, sorgo, trigo, lenteja, garbanzo, aguacate, caña de azúcar, fresa, melón, limón, mango, plátano y alfalfa.

La cría de aves, cerdos, borregos, cabras, caballos, vacas, asnos y mulas permite obtener diferentes productos ganaderos.

De la explotación forestal se obtiene madera, usada para fabricar muebles y productos artesanales.

Actividad

Copia en tu cuaderno el mapa de las regiones del estado de Michoacán. Localiza el municipio donde vives en la región correspondiente. Haz una lista de los productos agrícolas, ganaderos y forestales que se obtienen en tu región.

Región Centro

La región Centro recibe este nombre debido a que en ella se encuentra la ciudad de Morelia, capital del estado.

Las principales instituciones que ofrecen estudios superiores se ubican en Morelia, entre las que destaca la Universidad Michoacana de San Nicolás de Hidalgo.

La industria de la ciudad de Morelia produce alimentos, prendas de vestir, productos de madera, corcho, hule, papel, plástico y metal.

El clima que prevalece en esta región es el templado con lluvias en verano.

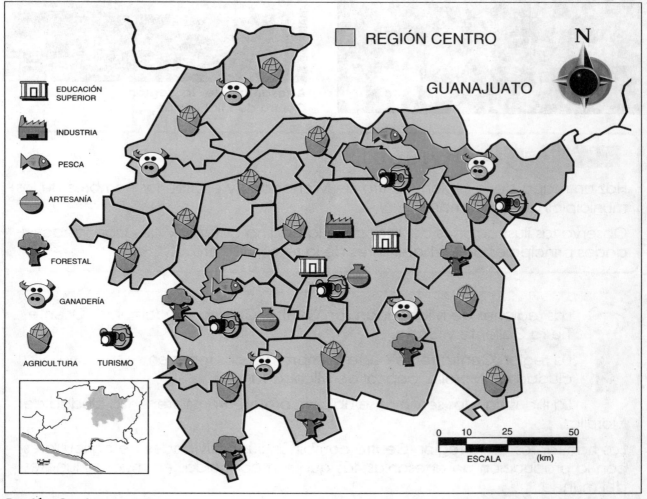

Región Centro.

Además de las actividades agrícolas, ganaderas y forestales, los habitantes se dedican a la pesca y a la producción de artesanías. Por ejemplo, en Tzintzuntzan, sus habitantes son agricultores que dependen de la temporada de lluvias. El resto del tiempo lo dedican a la producción de artesanías.

Puruándiro, Quiroga, Zinapécuaro, Pátzcuaro, Erongarícuaro, Santa Clara del Cobre, Cherán, Nahuatzen, Cuitzeo, Tarímbaro y Morelia producen gran cantidad de artesanías que son llevadas a muchos lugares de México y del mundo por los turistas que visitan tierras michoacanas.

Artesanías de la región Centro de Michoacán.

   **Actividad**

Haz un mapa de la región Centro de Michoacán y escribe los nombres de los municipios que la forman.

Observa las ilustraciones del mapa de la página anterior y describe las actividades principales de los habitantes de la región Centro.

Las regiones de Michoacán son Centro, Ciénega, Occidente, Oriente, Tierra Caliente y Costa.

La región Centro recibe este nombre por contener en su territorio a la ciudad de Morelia, capital de Michoacán.

La industria y los servicios se ubican, preferentemente, en la ciudad de Morelia.

Los habitantes de la región Centro combinan sus actividades de agricultores con la producción de artesanías, las que son conocidas en muchos lugares del mundo.

Región Ciénega

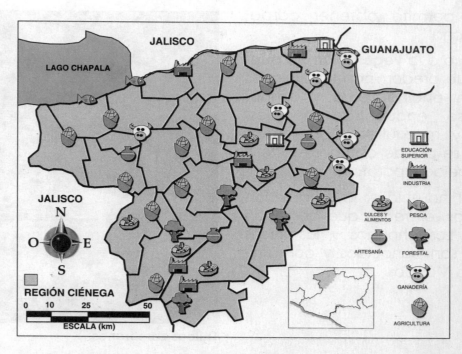

En esta región se localiza el antiguo valle de Tziróndaro, palabra de la lengua p'urhepecha que significa *lugar de ciénegas* o *lagos desecados*.

Aquí se han localizado restos de los habitantes más antiguos de Michoacán.

Cerca de Zamora se localiza *El Opeño*, sitio arqueológico donde se han encontrado restos de sus antiguos pobladores, principalmente en las tumbas que se descubrieron.

Debido a la presencia del lago de Chapala y las ciénegas, esta región se ha convertido en el lugar más adecuado para la agricultura. Se produce trigo, sorgo, maíz, cebolla, papa, jitomate, fresa y aguacate.

El clima que predomina en esta región es el templado con lluvias en verano.

Plantío de fresa.

43

Además de los animales domésticos, los habitantes de los municipios que forman la región Ciénega hacen uso del producto de la cacería. Los animales que conforman la **fauna** del lugar son la paloma, codorniz, tordo, urraca, coyote, tlacuache, zorra, tejón, mapache, zorrillo, venado, conejo, pato, armadillo, ardilla, liebre, lince y cacomixtle.

La pesca permite obtener carpa, charal y trucha.

Con respecto a la **vegetación**, se puede decir que predominan los bosques mixtos con encino, pino y fresno. También se encuentran nopales, huizaches y mezquites. Con menos frecuencia se puede obtener madera de cedro, ceiba y parota

La principal industria es la producción de alimentos, entre los que destacan los dulces. Los chongos y las fresas zamoranos son conocidos y consumidos en todo México.

Dulces zamoranos.

Actividad

A partir de la información de esta lección, elabora un escrito donde describas los elementos naturales y culturales de la región Ciénega.

Elabora un mapa de la región y ubica los municipios, los elementos naturales y culturales que la forman.

La región Ciénega de Michoacán se localiza al norte y oeste del territorio, debe su nombre a la existencia de lagos desecados o ciénegas.

Las principales ocupaciones de sus habitantes son la agricultura y la producción de alimentos.

El Opeño es un sitio arqueológico con restos de los pobladores prehispánicos de Michoacán.

Región Occidente

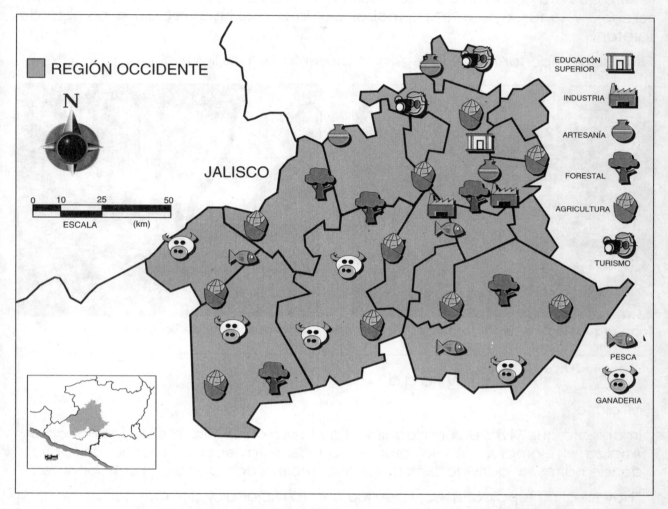

Los climas que predominan en esta región son el cálido y el templado, con lluvias en verano.

La vegetación más abundante es el bosque de pino y encino, aunque también se encuentran árboles de parota, ceiba, tepehuaje y mango.

La fauna está representada por ardilla, armadillo, cacomixtle, zorrillo, tlacuache, venado y tejón.

En los ríos del Marqués y Tepalcatepec se obtiene mojarra y carpa.

Los árboles de las sierras de Tancítaro y Paracho permiten que los artesanos hagan juguetes, rosarios, collares, pulseras, muebles de madera, guitarras, maracas y otros instrumentos musicales.

En el mes de agosto se celebra la Feria Nacional de la Guitarra en Paracho.

En esta región se encuentra el municipio de Taretan, cuyo nombre se originó en una **leyenda**, que dice así: Tarepe fue el último cacique p'urhepecha de Surumucapio. Los españoles le pidieron que donara parte de sus tierras. La medición de las tierras se haría con la piel de un buey cortada en correas. Tarepe pensó que le estaban pidiendo poca tierra y aceptó. Al tomar las medidas resultó que era una gran cantidad de tierras. Al darse cuenta del engaño, Tarepe se enojó y se fue a su *tareta* o maizal, por lo que el lugar recibió el nombre de Taretan.

Otros sitios importantes de la región se presentan en las ilustraciones.

Zona arqueológica de Tingambato.

Parque Nacional de Uruapan.

 **Actividad**

Mi diario.

Imagínate que vives en una localidad de la región Occidente de Michoacán. Analiza el ejemplo: Con la información de esta lección, escribe un diario donde narres las actividades que podrías realizar como uno de sus habitantes.

"Hoy fui al río Tepalcatepec y pesqué cuatro mojarras y dos carpas."

Haz un mapa de la región Occidente y escribe los nombres de los municipios que la forman.

Los habitantes de la región Occidente de Michoacán se dedican a una gran variedad de actividades: la agricultura, la ganadería, las artesanías, la cacería, la producción forestal, la producción de alimentos y la pesca.

Lugares importantes de esta región son el Parque Nacional de Uruapan y la zona arqueológica de Tingambato.

Región Oriente

Mariposa Monarca.

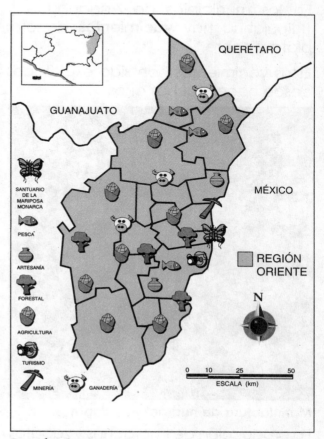

Región Oriente.

La región Oriente de Michoacán está limitada por los estados de Guanajuato, Querétaro y México, así como por las regiones Centro y Tierra Caliente de Michoacán.

Los climas que se presentan en la región Oriente son el templado con lluvias en verano, el templado con lluvias todo el año y el cálido con lluvias en verano.

La vegetación regional está representada por pino, oyamel, encino, cedro, aile, ziranda, ceiba, cirián, guaje y mango.

La fauna que predomina se forma con conejo, ardilla, comadreja, cacomixtle, zorrillo, tejón, pato, liebre, coyote, gato montés y armadillo. En los meses de noviembre y diciembre llegan las mariposas Monarca desde Canadá y permanecen hasta el mes de marzo en la reserva ecológica que recibe el nombre de Santuario de la Mariposa Monarca. Ésta se ubica en los municipios de Ocampo, Angangueo, Zitácuaro y Contepec, y fue creada para evitar que las mariposas Monarca desaparezcan de los paisajes michoacanos.

47

Los principales productos agrícolas de la región Oriente son maíz, trigo, cebada, frijol, haba, tomate, ajonjolí, manzana, durazno, maguey, pera, fresa, capulín, tejocote y aguacate.

El río Lerma ayuda para que se desarrolle la labor de los agricultores.

En los municipios de Angangueo y Tlalpujahua hay **yacimientos** de oro, plata y cobre.

Estos yacimientos han sido explotados desde hace muchos años.

Plantío de haba en Maravatío.

Manufactura de huaraches y zapatos.

La producción de borregos permite que su lana se utilice en la fabricación de gabanes y otras prendas de vestir.

Además, se producen muebles coloniales, sillas de montar, productos de vidrio soplado y alfarería.

La producción de huaraches y zapatos comienza a ser una actividad que permite que algunos habitantes de la región adquieran un empleo permanente. Los huaraches y los zapatos que se producen en la región son usados en muchos estados de la República Mexicana.

 **Actividad**

Haz un mapa de la región Oriente y escribe los nombres de los municipios que la forman.

 Las actividades de los habitantes de la región Oriente de Michoacán son muy variadas. La producción de alimentos, la manufactura de zapatos y huaraches, el comercio, las artesanías y los productos de madera dan ocupación a los pobladores de esta región michoacana.

Región Tierra Caliente

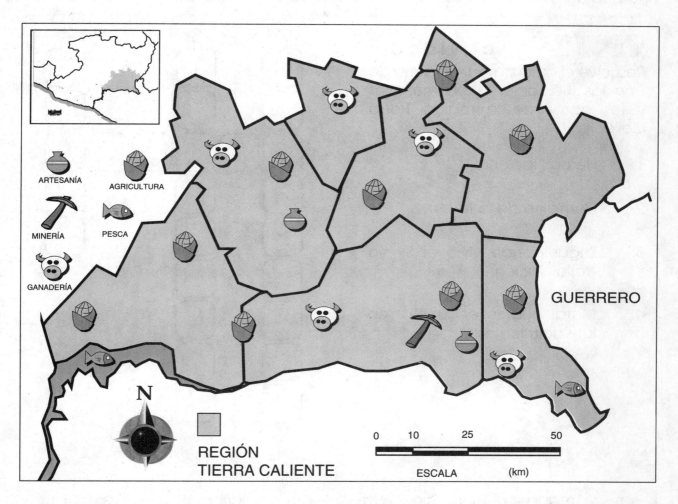

El nombre de la región se debe a los tipos de clima que en ella predominan: clima cálido con lluvias en los meses de junio a septiembre y clima cálido con lluvias escasas durante el año. La temperatura más común es de 25 grados en invierno y de 32 grados en verano.

La vegetación está representada por parota, tepeguaje, cueramo, ceiba, huizache, teteche, cactus y tepemezquite. En algunos lugares hay encino.

La fauna es variada, se encuentra venado, coyote, conejo, zorro, zorrillo, armadillo, tejón, huilota, calandria, cuervo, águila, gavilán, codorniz, perico, urraca, boa, carpa, mojarra y pez bagre.

La cabecera municipal de Carácuaro de Morelos se denomina así en honor del insurgente José María Morelos y Pavón, quien fue cura de ese lugar.

En la casa donde vivió se encuentra un museo y una biblioteca.

Los productos agrícolas que se obtienen en esta región son maíz, ajonjolí, cacahuate, frijol, ciruela, guayaba, mango, plátano, papaya, tamarindo, melón, sandía y mamey.

Cuenta con ricos yacimientos de cobre, fierro, oro, plata, zinc y plomo. Huetamo es una población en la que se producen obras de arte en filigrana, oro y plata.

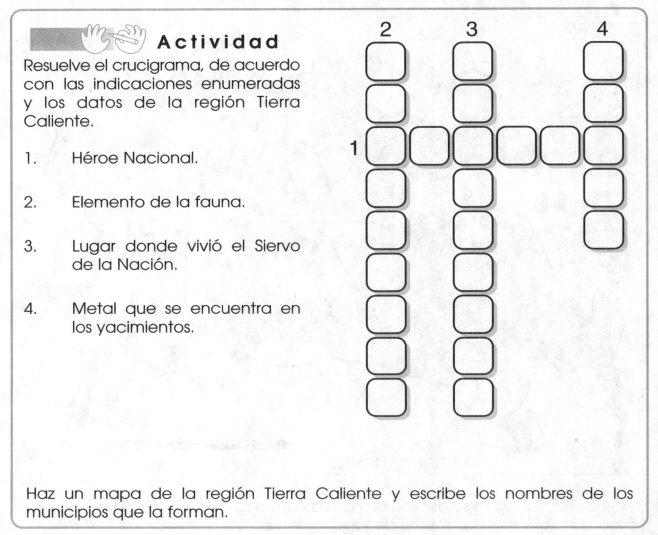

Actividad

Resuelve el crucigrama, de acuerdo con las indicaciones enumeradas y los datos de la región Tierra Caliente.

1. Héroe Nacional.

2. Elemento de la fauna.

3. Lugar donde vivió el Siervo de la Nación.

4. Metal que se encuentra en los yacimientos.

Haz un mapa de la región Tierra Caliente y escribe los nombres de los municipios que la forman.

 La presencia del clima cálido da origen al nombre de la región Tierra Caliente de Michoacán.

 Aquí se localizan centros históricos debido, principalmente, a la presencia de José María Morelos en los tiempos de la Independencia de México.

Entre las artesanías que se producen estan artículos de oro y plata.

En Carácuaro de Morelos existe un museo de historia y una biblioteca en la casa donde vivió Morelos.

Región Costa

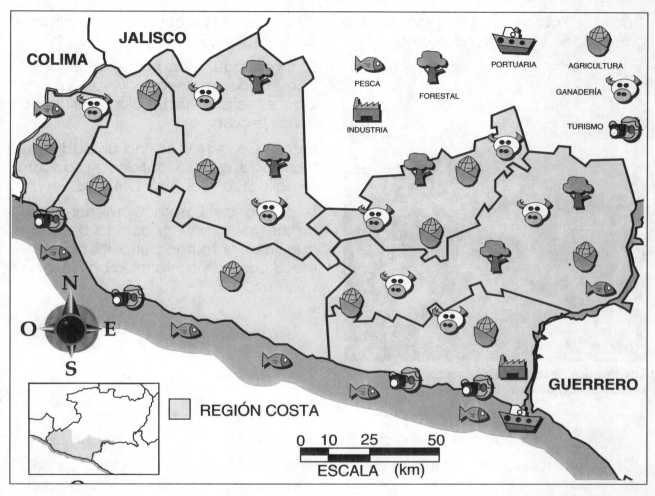

La región Costa de Michoacán está formada por los municipios de Aquila, Arteaga, Coalcomán, Coahuayana, Chinicuila, Lázaro Cárdenas y Tumbiscatío.

El relieve está determinado por las planicies en los límites con el océano Pacífico y por la Sierra Madre del Sur. En ésta se encuentran los cerros de Maquilí, Cachán, Parota, Bufa, Tejocote, Cascarón y Situntitlán.

El agua está presente con el océano Pacífico y los ríos denominados Coahuayana, Coalcomán o Cachán, Balsas, Tumbiscatío, Nexpa y Tepalcatepec. Se han construido las presas *El Infiernillo* y *José María Morelos*.

En la costa de Michoacán hay playas bañadas por las aguas del océano Pacífico. Playa Azul es uno de los principales lugares de recreación para los michoacanos y visitantes de otros lugares. Las Peñas, Caleta de Campos, Maruata Faro de Bucerías, Las Brisas, San Juan de Alima y Boca de Apiza son otras playas que comienzan a ser visitadas por los turistas.

La fauna marina constituye una de las principales fuentes de ingreso para los habitantes de la región. Se obtiene caguama, tiburón, tonina, pez volador, pez vela, lisa, guachinango, mojarra, róbalo, mero, langosta, ostión y camarón.

Zorrillo, mapache, cacomixtle, conejo, armadillo, tlacuache, nutria, coyote, pato, faisán, huilota y torcaza integran la fauna terrestre.

Cueramo, parota, ceiba, pino, encino, sabino, fresno, sauce, palma, chirimoya, guanábana y zapote conforman la vegetación regional.

Las Truchas, industria siderúrgica de Lázaro Cárdenas.

El clima que predomina es el cálido con lluvias en verano y, en algunos lugares, se presenta el clima cálido con lluvias escasas.

Lázaro Cárdenas es una ciudad industrial en la que se obtienen productos metálicos, alimentos y bebidas.

El puerto de Lázaro Cárdenas recibe buques de gran capacidad de carga, que sirven para transportar los productos metálicos y alimentarios a otros lugares del mundo.

  A c t i v i d a d

Usando el mapa de carreteras de la página 37, señala el recorrido necesario para hacer un viaje desde tu localidad hasta la región Costa de Michoacán. Busca vías alternas para llegar a un lugar.

Copia el mapa de la página 40 y ubica los municipios que forman la región Costa. Con ayuda de la rosa de los vientos describe a tus compañeros su localización

Las principales actividades de los habitantes de la Costa son las relacionadas con la fauna marina y la ciudad industrial Lázaro Cárdenas.

Las playas de la costa michoacana son visitadas por los turistas. La más concurrida es Playa Azul.

El puerto de Lázaro Cárdenas es usado para el comercio nacional e internacional.

Zonas rurales y zonas urbanas

¿A qué se dedican los habitantes del lugar donde vives?

Esteban es un niño que vive en una localidad que cuenta con 900 habitantes y nos platica acerca de las actividades que llevan a cabo.

- Mi familia trabaja en una **parcela**.

1. Siembra y cosecha de trigo.

2. Tiene animales domésticos.

3. Produce leche y queso.

4. Cultiva árboles frutales.

5. En ocasiones va de pesca.

Los habitantes de la localidad donde vive Esteban se dedican a la agricultura, ganadería y pesca.

53

Las localidades como la de Esteban, donde sus habitantes se dedican principalmente a la producción de alimentos, reciben el nombre de *zonas rurales*.

Algunos alimentos se producen en las zonas rurales.

Gran parte de los productos que se obtienen por las actividades agrícolas y ganaderas de las zonas rurales son llevados para su consumo a otros pueblos y ciudades.

Para su transporte se usan, frecuentemente, caballos y asnos o camionetas y camiones de carga.

En la mayor parte de las localidades rurales hay centros de salud, agua potable y energía eléctrica; también cuentan con escuelas de educación preescolar y primaria, y cada día se abren más secundarias y bachilleratos en estas poblaciones pequeñas.

Las principales diversiones de sus pobladores son los deportes, entre los que destacan el futbol y el basquetbol, y las fiestas de la localidad, en las que se realizan desfiles, jaripeos y bailes.

Adriana es una niña que vive en la ciudad y nos comenta acerca de las actividades de sus habitantes.

- En la ciudad se realizan actividades diferentes a las de las zonas rurales.

1. Una actividad importante es el comercio.

2. Algunas personas trabajan en fábricas.

3. Hay escuelas de nivel superior.

4. Los hospitales atienden a las personas para controlar y curar sus enfermedades.

5. Otras personas trabajan como empleados en oficinas públicas y privadas.

Los habitantes de las ciudades llevan a cabo diversas actividades, entre las que destacan el comercio y la industria.

55

Las zonas urbanas cuentan con los servicios de energía eléctrica, drenaje, agua potable, hospitales, escuelas de educación básica, media y superior, y todos los medios de transporte y comunicaciones.

Por las características de sus actividades y servicios, una ciudad es una zona urbana.

Las zonas rurales y las urbanas se distinguen por el número de habitantes, por las actividades que éstos realizan y por los servicios con los que cuentan.

Los productos de las zonas rurales y urbanas se intercambian mediante el comercio. De las primeras se obtienen, principalmente, alimentos y materias primas para la industria. De las segundas se reciben productos industrializados y servicios.

Actividad

Escribe nombres de productos que se obtienen en cada una de las zonas siguientes:

Zona rural	Zona urbana
_____	_____
_____	_____
_____	_____
_____	_____
_____	_____
_____	_____
_____	_____

Los habitantes de una zona rural se dedican principalmente a la agricultura, ganadería y pesca. De estas actividades se obtienen alimentos para toda la población.

En las zonas urbanas, los habitantes se dedican al comercio, la industria y la prestación de servicios.

Los productos de las zonas rurales y urbanas se intercambian mediante el comercio.

Principales ciudades de Michoacán

¿Cuáles son las principales ciudades de Michoacán?

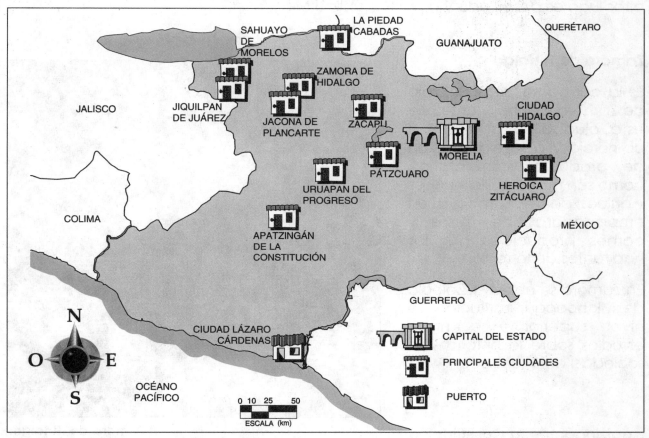

Principales ciudades de Michoacán.

Morelia

Es la capital del estado de Michoacán. Se localiza en el valle de Guayangareo; entre las lomas de Santa María, el cerro Punhuato, la loma del Zapote, los cerros Cuates y el pico de Quinceo. En el año de 1828 recibió el nombre de Morelia en honor a un héroe de la independencia, José María Morelos y Pavón. Antes se llamaba Valladolid.

Los habitantes de este centro urbano se dedican al comercio y al trabajo en pequeñas industrias. Se obtienen productos químicos, gomas y resinas forestales, así como los tradicionales ates morelianos. Cuenta con un aeropuerto, estación de ferrocarril y terminal de autobuses que prestan sus servicios de transporte a diferentes lugares del estado y de la República Mexicana. También tiene radiodifusoras, canales de televisión y casas editoras de libros, revistas y periódicos.

Uruapan del Progreso

El día 1º de mayo de 1947 se creó la comisión del Tepalcatepec, con sede en la ciudad de Uruapan. Con esta comisión se dio un fuerte impulso a todas las actividades de la región; actualmente, la ciudad se moderniza y amplía todos sus servicios.

En el mes de junio se celebra la feria del aguacate, producto que se exporta a otros lugares del estado y de la República Mexicana.

Zamora de Hidalgo

Es la cabecera del municipio de Zamora. Los habitantes de esta ciudad se dedican al comercio y a la elaboración de productos alimentarios, como son mantequilla, quesos y dulces; además, trabajan en empacadoras de frutas y carnes producidas por los habitantes de la región.

En Zamora se ubica El Colegio de Michoacán, institución de nivel superior que hace estudios sobre la historia y la sociedad de Michoacán.

Zamora de Hidalgo.

Apatzingán de la Constitución

El 22 de octubre de 1814 se sancionó en esta ciudad el Decreto Constitucional para la Libertad de la América Mexicana, documento conocido como *Constitución de Apatzingán*. Para recordar este suceso, junto a la plaza central, se encuentra un edificio conocido como la *Casa de la Constitución*, en la que se construyó un museo.

Ciudad Lázaro Cárdenas

Centro industrial que se desarrolló a partir de 1970, en virtud de la creación de un gran complejo industrial, urbano y portuario. Las principales ramas industriales que se desarrollan en este lugar son la fabricación de productos de metal, productos químicos, alimentos, bebidas, calzado e industrias del cuero.

La Piedad de Cabadas

Debido a que la región se ha destacado por la producción de ganado porcino, del 12 al 23 de diciembre se lleva a cabo una exhibición en la feria porcina.

Zacapu

En el parque industrial de Zacapu, los habitantes trabajan en la fabricación de alimentos, la industria del papel e impresiones y la industria química. También hay aserraderos que explotan las maderas de los bosques, usando la resina para la fabricación de celulosa.

Sahuayo de Morelos

Las principales ramas de la industria son la fabricación de alimentos y prendas de vestir. También se producen objetos de hule y plástico, y algunos de metal.

Las artesanías que se hacen en Sahuayo son adornos florales tejidos a mano, y la talabartería que produce huaraches y sombreros.

Heroica Zitácuaro

En esta ciudad se concentra la actividad comercial de gran cantidad de municipios de las regiones Oriente y Tierra Caliente de Michoacán, lo que provoca que la actividad esencial de sus habitantes sea el comercio.

Ciudad Hidalgo

Las principales actividades de los habitantes de esta ciudad están relacionadas con la industria de la madera. Se fabrican muebles y accesorios de madera y corcho.

Muebles de madera fabricados en Ciudad Hidalgo.

Jiquilpan de Juárez

La industria de la leche y sus derivados ocupa un lugar importante en el desarrollo de la ciudad.

Sus tejidos y rebozos son apreciados y adquiridos por los habitantes de la región.

En la biblioteca municipal se encuentran murales de la Revolución Mexicana, pintados por José Clemente Orozco.

La casa donde nació Lázaro Cárdenas se convirtió en un museo.

Pátzcuaro

Ciudad importante para la historia de Michoacán. Como un ejemplo, se puede mencionar a Gertrudis Bocanegra, quien participó en la lucha por la Independencia de México.

Cuenta con una rica tradición y producción artesanal. La actividad pesquera es cada día más escasa, pero aún se obtienen charal y pez blanco.

Jacona de Plancarte

Es una de las poblaciones más antiguas de Michoacán.

Los habitantes se dedican a la fabricación de alimentos, bebidas, prendas de vestir y productos de madera y corcho.

El poeta Amado Nervo estudió en el seminario de Zamora, que hoy se localiza en Jacona.

Pátzcuaro.

 Actividad

Solicita la colaboración de tus compañeros para montar un periódico mural con el tema: *Principales ciudades de Michoacán.*

Usa la información que se presenta en esta lección e investiga más datos. Para esto puedes utilizar el periódico, la televisión, la radio, dibujos y fotografías.

  Algunas ciudades importantes de Michoacán son Morelia, Uruapan, Zamora de Hidalgo, Apatzingán de la Constitución, Ciudad Lázaro Cárdenas, La Piedad de Cabadas, Zacapu, Sahuayo de Morelos, Heroica Zitácuaro, Ciudad Hidalgo, Jiquilpan de Juárez, Pátzcuaro y Jacona de Plancarte.

Las actividades principales de los habitantes de las ciudades son el comercio, la producción industrial y la manufactura de artesanías.

La población del estado de Michoacán

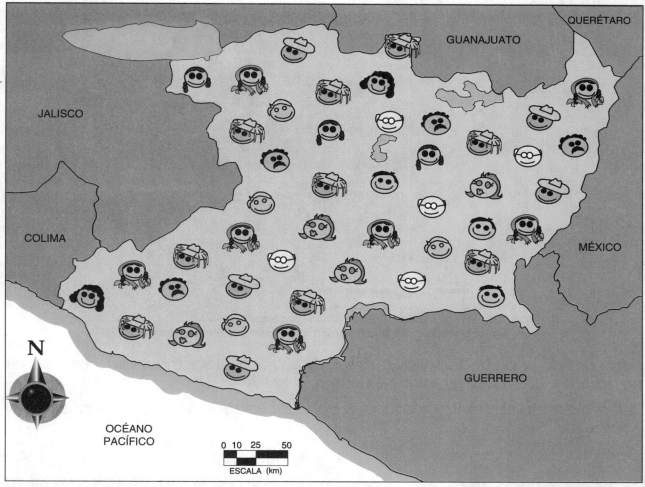

Las personas que habitan en los diferentes municipios de Michoacán forman la población del estado.

La mayor parte de la **población** michoacana es producto de la mezcla de los españoles que llegaron a conquistar a los pueblos indígenas, y de los pobladores prehispánicos que vivieron en el territorio que ahora conforma al estado de Michoacán. Por esta razón se le da el nombre de población mestiza.

En Michoacán también hay localidades pobladas por indígenas, descendientes de los pobladores prehispánicos: p'urhepechas, otomíes, mazahuas y nahuas.

Los michoacanos nos comunicamos usando el idioma español, llamado así porque lo trajeron los españoles. También se usan lenguas indígenas.

Para conocer a la población: cantidad de habitantes, actividades que realizan, lugares donde viven, viviendas que ocupan, preparación que tienen, lengua que hablan, en la República Mexicana se realiza un censo cada 10 años.

61

En 1990 se llevó a cabo el *Censo General de Población y Vivienda* de los Estados Unidos Mexicanos. La información que se obtuvo permitió conocer el número de habitantes que tiene cada entidad federativa.

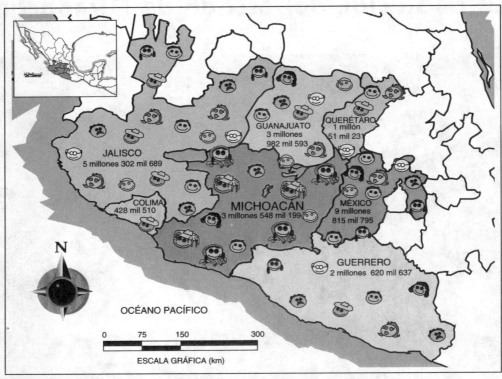

Número de habitantes de Michoacán y estados colindantes.

Según los datos presentados en el mapa, Michoacán tiene más habitantes que los estados de Colima, Querétaro y Guerrero.

Nuestro estado tiene menos habitantes que los estados de Jalisco, Guanajuato y México.

En 1995 se realizó un Conteo Nacional de Población y Vivienda para saber en cuánto se había incrementado el número de habitantes en México.

En Michoacán, según los datos del Conteo, ahora somos 3 millones 869 mil 133 habitantes.

En Michoacán hay más mujeres que hombres.

Los resultados del censo permiten conocer la distribución de la población en los diferentes municipios.

Morelia, Uruapan, Zamora, Lázaro Cárdenas, Zitácuaro, Hidalgo y Apatzingán son municipios que tienen más de 100 mil habitantes.

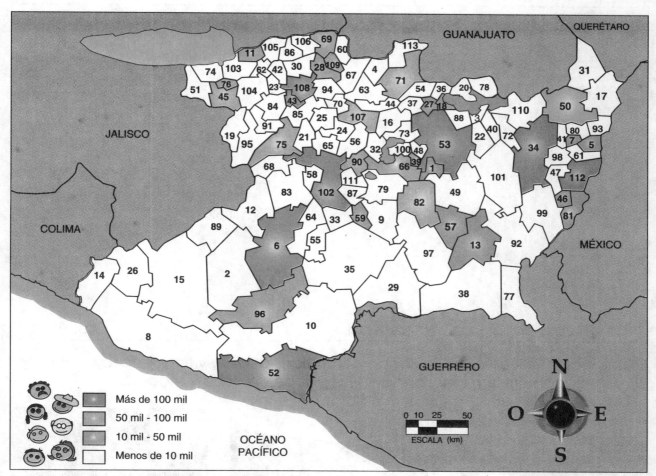

Población de los municipios michoacanos.

Con la información del censo de 1990 se puede afirmar que la mayor parte de la población tiene menos de 25 años.

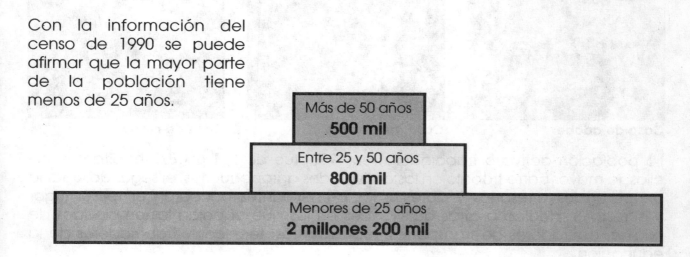

Más de 50 años
500 mil

Entre 25 y 50 años
800 mil

Menores de 25 años
2 millones 200 mil

La siguiente gráfica presenta información acerca de los habitantes de Michoacán que hablan una lengua indígena. Los municipios de Uruapan, Nahuatzen, Chilchota, Los Reyes, Charapan y Paracho tienen la mayor población que habla lengua indígena y que no habla español.

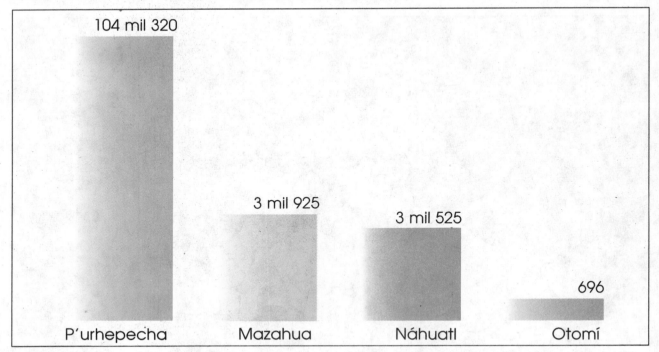

Los censos permiten conocer las características de las viviendas de la población. En Michoacán predominan las casas de adobe, tabique y madera.

Casa de adobe.
Casa de tabique.
Casa de madera.

La población activa o trabajadora, en 1990, fue de 891 mil 873 habitantes; de ellos, la mayor parte trabajó en las actividades agropecuarias, el segundo lugar lo ocuparon los artesanos y obreros, los comerciantes ocuparon el tercer lugar y el resto se dedicó a otras actividades en las que trabajan los empleados de oficina, operadores de transportes, profesionistas, técnicos y trabajadores de la educación.

 **Actividad**

Solicita la colaboración de una persona adulta para que llenes el siguiente cuestionario. Algunas de las preguntas son parecidas a las que se contestan cuando se levanta un censo de población.

Estado o entidad federativa _____
Municipio _____
Localidad _____
Dirección _____

¿De qué material está hecha la casa que habitan?_____,
¿cuántos cuartos tiene?_____, ¿tiene cocina?_____,
¿tiene baño?_____, ¿agua entubada?_____,
¿electricidad?_____, ¿televisión?_____.

¿Cuántas personas viven en la casa? _____,
¿cuántos son hombres? _____ y ¿cuántas mujeres?_____.
Escribe las edades de todos los que viven en la casa.
_____.
¿Cuántas personas saben leer y escribir?_____.
¿Cuántas personas hablan español? _____,
¿cuántas personas hablan en lengua indígena? _____.
¿cómo se llama la lengua indígena que hablan?_____.
¿Cuántas personas trabajan? _____,
¿en qué actividad trabajan?_____
_____.

La población del estado de Michoacán se compone con todas las personas que viven en su territorio. En 1990 eran 3 millones 548 mil 199 habitantes.

El Censo General de Población y Vivienda de los Estados Unidos Mexicanos es la fuente de información que permite conocer el número de habitantes de las entidades federativas y las actividades a que se dedican.

Las principales actividades desempeñadas por los michoacanos en 1990 fueron las agropecuarias, artesanales, industriales y las referentes al comercio.

Gobierno estatal

Sabemos que la organización familiar asigna funciones a los hijos y a los padres, que la organización de la localidad requiere de una autoridad que gobierne a la población y que la organización municipal se sirve de un Ayuntamiento que determina las funciones de cada uno de los integrantes del gobierno municipal. Ahora necesitamos saber cómo se gobierna el estado de Michoacán.

Las relaciones entre las localidades que integran al estado de Michoacán, la solución de los problemas que surgen en la convivencia de las mismas, la administración de los bienes comunes, la organización de los centros educativos y de salud, y otras cuestiones, hacen que sea necesaria una organización estatal que conduzca las actividades de todos los michoacanos.

Palacio de Gobierno de Michoacán.

De acuerdo con la Constitución de los Estados Unidos Mexicanos y la Constitución del estado de Michoacán, el Gobierno del estado se conforma con los poderes Legislativo, Ejecutivo y Judicial.

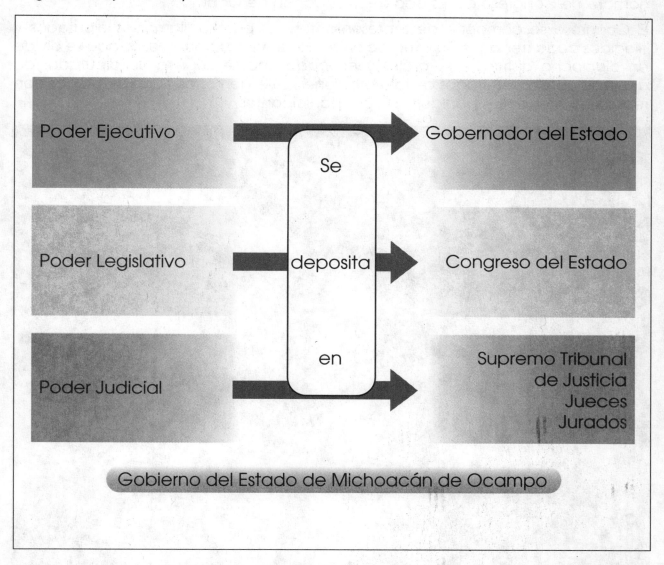

Poder Ejecutivo	Se deposita en	Gobernador del Estado
Poder Legislativo		Congreso del Estado
Poder Judicial		Supremo Tribunal de Justicia Jueces Jurados

Gobierno del Estado de Michoacán de Ocampo

Los habitantes mayores de 18 años participan en la elección de sus gobernantes y pueden organizarse en partidos políticos.

Las elecciones se llevan a cabo mediante el voto universal, libre, secreto y directo; es decir, todos los ciudadanos tienen derecho de votar, cada quien vota por el candidato que prefiere, lo hace sin que los demás lo observen y directamente. A esta forma de elegir gobernantes se le llama elección *democrática*.

 **A c t i v i d a d**

Solicita al maestro que organice el nombramiento del jefe de grupo escolar, mediante el voto universal, libre, secreto y directo.

Poder Legislativo

El ejercicio del Poder Legislativo se deposita en una asamblea que recibe el nombre de Congreso del Estado de Michoacán de Ocampo.

El Congreso se compone de representantes del pueblo, llamados diputados y elegidos cada tres años. Su integración se hace en dos partes: el estado se divide en dieciocho distritos electorales y en cada uno se elige a un diputado; de acuerdo con los resultados de las votaciones, se eligen otros doce diputados con representantes de los partidos políticos participantes.

Palacio Legislativo, residencia del Congreso del estado.

El Congreso estatal elabora las **leyes** que rigen la vida de los habitantes de la entidad. Además, crea los empleos públicos y determina los sueldos de los empleados de gobierno. También participa en las reformas de la Constitución Política del estado.

Poder Ejecutivo

El ejercicio del Poder Ejecutivo se deposita en el *gobernador del estado*. Para nombrar al gobernador, se realizan votaciones ordinarias en todo el territorio estatal cada 6 años, y la persona que resulta electa, comienza a ejercer su cargo el día 16 de septiembre del año de la elección.

De acuerdo con el artículo 49 de la *Constitución Política del estado*, para ser gobernador se requiere:

I.   Ser ciudadano michoacano en pleno goce de sus derechos.

II.   Haber cumplido treinta años antes del día de la elección.

III.   Haber nacido en el estado o tener más de 5 años viviendo en él.

El Poder Ejecutivo del estado se encarga de promover el desarrollo agrícola, industrial y comercial de Michoacán. También fomenta el turismo.

Una vez que el Congreso elabora las leyes y decretos estatales, el Poder Ejecutivo se encarga de darlos a conocer y de su ejecución en todo el territorio.

Además, con el propósito de conocer las necesidades de los habitantes, visita todos los municipios y propone los medios y actividades para atenderlas.

La conservación de los ejidos, tierras y aguas comunales es otro asunto que atiende el Poder Ejecutivo estatal.

Cada año rinde un informe de todas las actividades llevadas a cabo.

Oficina del Poder Ejecutivo en el Palacio de Gobierno.

Poder Judicial

El ejercicio del Poder Judicial se deposita en el Supremo Tribunal de Justicia, en los Jueces de Primera Instancia, en los Jueces Municipales y de Tenencia, y en los Jurados.

Supremo Tribunal de Justicia.

Juzgado de Primera Instancia.

El Poder Judicial tiene la facultad de aplicar e interpretar las leyes para juzgar en relación con los negocios civiles y penales de los ciudadanos del estado, dictando y ejecutando las sentencias correspondientes.

 **Actividad**

Busca en los periódicos noticias relacionadas con los poderes Legislativo, Ejecutivo y Judicial.

Haz un resumen de tres noticias, usando los títulos: *Actividades del Poder Legislativo, Actividades del Poder Ejecutivo y Actividades del Poder Judicial.*

El gobierno del estado de Michoacán se constituye con los Poderes Legislativo, Ejecutivo y Judicial.

El Poder Legislativo se deposita en el *Congreso del Estado.*

El Poder Ejecutivo se deposita en el *Gobernador del Estado.*

El Poder Judicial se ejerce por el *Supremo Tribunal de Justicia.*

INTRODUCCIÓN
AL ESTUDIO
DEL PASADO

Historia personal y pasado de la familia

Cuando deseamos conocer mejor a una persona, es necesario tener datos acerca de los hechos que le han sucedido en el tiempo que ha vivido. El pasado de la vida de una persona se refiere al lugar y fecha de su nacimiento, los lugares donde ha estado, las escuelas a las que ha asistido, las actividades que ha hecho y otros sucesos importantes.

La descripción y estudio del pasado de una persona permiten construir su historia personal, la que recibe el nombre de *biografía*. A continuación se presenta un ejemplo.

Biografía de Adrián Jiménez García.

Nació en Zinapécuaro, Michoacán, el día 8 de julio de 1985. En el año de 1989 lo llevaron a vivir a Morelia. En agosto de 1991, cuando tenía 6 años de edad, lo inscribieron en la escuela primaria. En el año de 1994 cursó el tercer grado de educación primaria.

Actividad

Escribe tu biografía, considerando los siguientes datos: Nombre, lugar y fecha de nacimiento, lugares donde has vivido, escuelas a las que has asistido, diversiones y otros hechos importantes.

_____

_____

_____

_____

_____

_____

_____

_____

Las personas crecen y se educan en la vida diaria con su familia, es decir, en un pequeño grupo social unido por un parentesco. Generalmente, una familia se forma con padres e hijos.

Para conocer el pasado de una familia, se puede comenzar con un *árbol genealógico*, en el que se representa a los padres, abuelos y bisabuelos de una persona. En ocasiones, también se señalan personas que tienen otro parentesco.

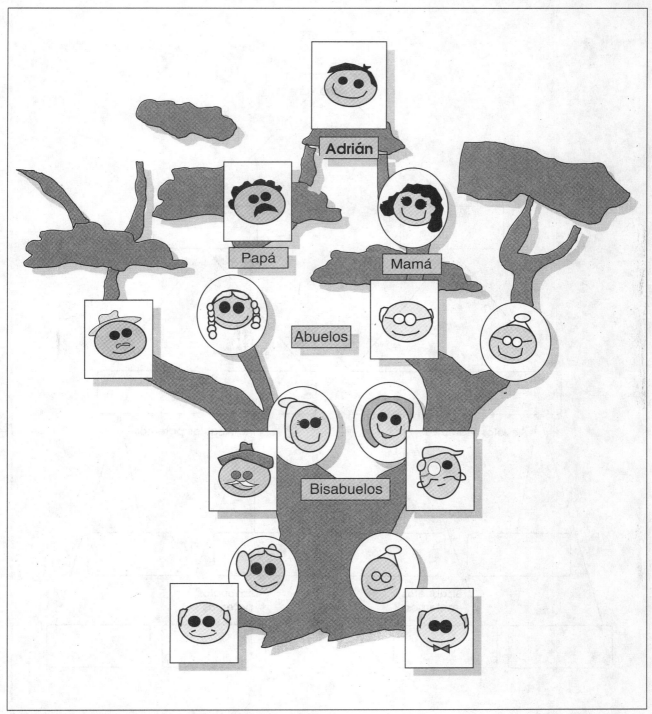

Árbol genealógico de Adrián y su familia.

Actividad

Con el propósito de que inicies el conocimiento del pasado de tu familia, pregunta a tus familiares los nombres de tus padres, abuelos y bisabuelos. Completa el árbol genealógico, escribiendo los nombres correspondientes.

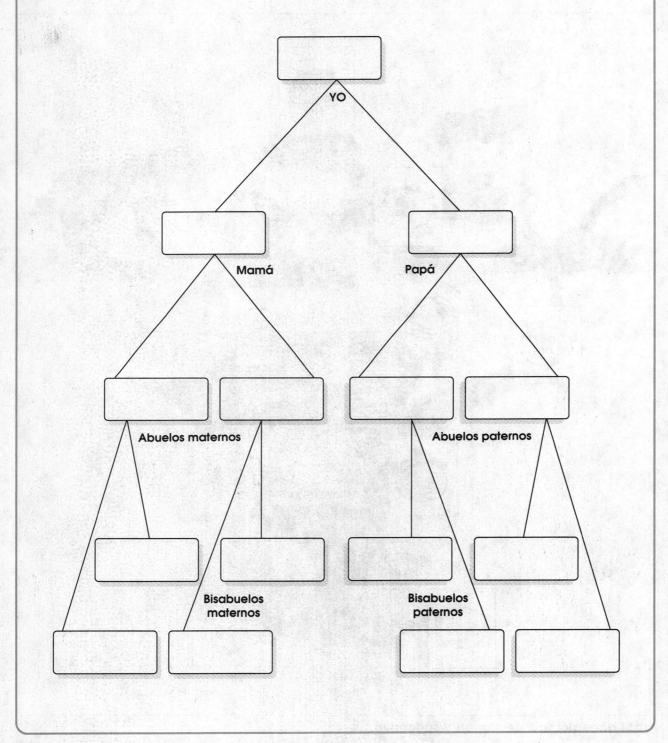

Para conocer los hechos sucedidos en la vida de una persona o los acontecimientos del pasado de la familia, se hace uso de fotografías, reliquias, documentos o recuerdos de los familiares; todos estos elementos reciben el nombre de *testimonios de la historia personal y familiar.*

El pasado de la familia de Adrián se manifiesta en los siguientes testimonios:

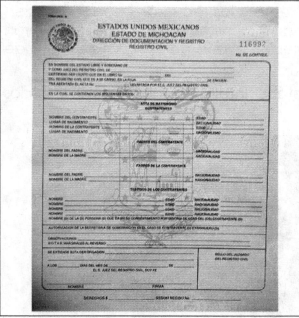

Casamiento de Francisco y Rosa.
13 de febrero de 1983.

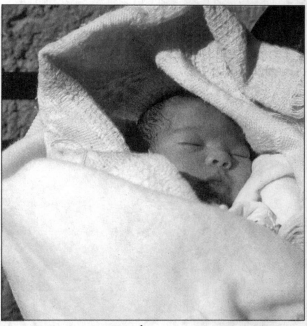

Nacimiento de Adrián.
8 de julio de 1985.

Nacimiento de Javier.
16 de junio de 1987.

Francisco nos relata:

Recuerdo exactamente la fecha del nacimiento de mi hija Estela. Yo cumplo años el 4 de diciembre. Faltaba un día para que cumpliera 30 años y tuve que llevar a Rosa con el médico, ese día nació Estela. Eran las 10 horas del día 3 de diciembre de 1988. Creo que nunca lo olvidaré.

Nacimiento de Javier.
16 de junio de 1987.

Nacimiento de Estela.
3 de diciembre de 1988.

Con los datos obtenidos de los testimonios de los acontecimientos del pasado de la familia de Adrián, se puede escribir parte de la historia familiar.

Historia de la familia de Adrián.

En el año de 1983 se formó una nueva familia. Francisco Jiménez Coria y Rosa García Cruz se casaron el día 13 de febrero, lo que quedó registrado en un acta de matrimonio. Con el paso del tiempo, la familia creció debido al nacimiento de sus hijos. Las fotografías, las actas de nacimiento y los recuerdos personales permiten señalar que el día 8 de julio de 1985 nació su primer hijo, al que le pusieron el nombre de Adrián; después nacieron Javier, en el año de 1987, y Estela el 3 de diciembre de 1988.

En el año de 1994, la familia de Adrián estaba integrada por 5 personas, dos padres y tres hijos.

Familia de Adrián en el año de 1994.

 **Actividad**

Platica con tus papás acerca del pasado de tu familia. Pídeles que te muestren documentos, fotografías, reliquias y objetos usados anteriormente. Con los datos que obtengas, elabora la historia de tu familia.

Los hechos sucedidos en la familia de Adrián se pueden ubicar en una *línea del tiempo o representación gráfica de acontecimientos del pasado.*

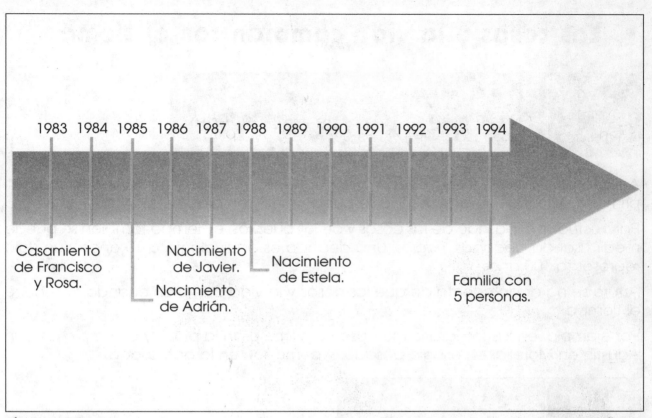

1983 1984 1985 1986 1987 1988 1989 1990 1991 1992 1993 1994

Casamiento de Francisco y Rosa.

Nacimiento de Javier.

Nacimiento de Estela.

Nacimiento de Adrián.

Familia con 5 personas.

Línea del tiempo.

Observa que para construir una línea del tiempo es necesario indicar el tiempo y los acontecimientos que se quieren representar.

 A c t i v i d a d

Con los datos de la historia de tu familia, elaborada en la actividad anterior, construye una línea del tiempo.

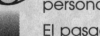 Biografía es el conjunto de sucesos que han ocurrido en la vida de una persona.

El pasado familiar se integra con todos los hechos que les sucedieron a los miembros de una familia.

Árbol genealógico es la representación gráfica de las relaciones de parentesco de una persona: con sus padres, abuelos y bisabuelos.

Las fotografías, documentos, reliquias y relatos de familiares son los testimonios que permiten elaborar la historia personal y familiar.

Las cosas y la vida cambian con el tiempo

¿Cómo se mide el tiempo?

¿Qué ocurre con las cosas y la vida cuando transcurre el tiempo?

Arturo es un niño que en el año de 1997 cursó el tercer grado de educación primaria. Aprendió que el tiempo se puede medir en días, meses y años.

Para estudiar el pasado de las cosas y de los pueblos, el tiempo también se puede medir usando *décadas* y *siglos*. Una década es equivalente a 10 años y un siglo representa 100 años.

Arturo se ha dado cuenta de que las cosas y la vida cambian cuando transcurre el tiempo.

Por ejemplo, en las fotografías se observa cómo eran la plaza y el templo de San Agustín en Morelia, en el siglo pasado, y cómo son en la actualidad.

San Agustín, en el año de 1855.
Pintura de Mariano de Jesús Torres, en el Museo Michoacano.

San Agustín en la época actual.

Con el transcurso del tiempo, las actividades de las personas sufren cambios. Los niños se han divertido con juegos diferentes. Antes se usaban mucho el trompo, el yo-yo y el balero. Ahora se divierten con juguetes eléctricos y juegos electrónicos.

Juguetes tradicionales.

Juegos electrónicos.

La forma de producir los objetos que usan los seres humanos, en su vida diaria, también ha cambiado con el paso del tiempo. Los zapatos se hacían y reparaban con herramientas rudimentarias. En la actualidad, se producen en grandes talleres y fábricas, usando maquinaria moderna que permite aumentar la producción.

Herramientas rudimentarias para la elaboración de zapatos.

Maquinaria moderna usada en la producción de zapatos.

Las labores agrícolas se han hecho de diferentes maneras.

Hace muchos siglos se comenzó a usar la **tarecua** o coa para sembrar.

Uso de la tarecua.

El arado en las labores agrícolas.

El tractor en la agricultura.

Después, se introdujo el uso del arado para las labores agrícolas.

En el siglo veinte, el uso del tractor facilita el trabajo en el campo.

El transporte de mercancías también se ha hecho de diferentes maneras a través del tiempo.

Transporte de mercancías usando diferentes medios.

La vida y las actividades que hace Arturo también han cambiado con el tiempo. Él nació en el año de 1988 y sus papás le han platicado que cuando transcurrió un año de su vida aprendió a caminar, además le dijeron que comenzó a hablar en el año de 1990. Arturo recuerda que en el año de 1991, cuando él tenía tres años de edad, nació su hermana Juana. En septiembre de 1994 asistió a la escuela primaria por primera vez, dos años después cursó el tercer grado de educación primaria. En el año de 1997 conoció la historia y geografía del estado.

Los cambios en la vida de Arturo se representan en una línea del tiempo.

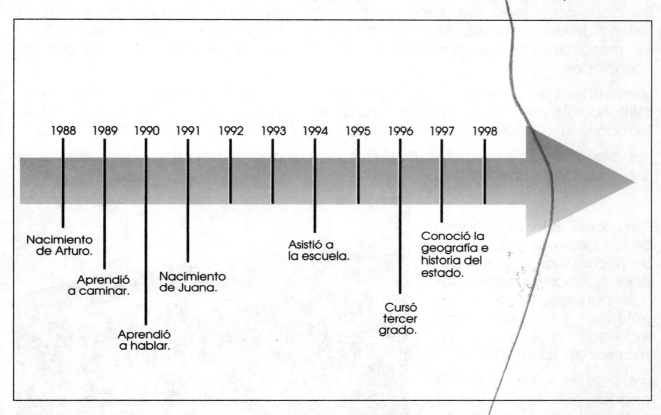

Línea del tiempo: 1988 Nacimiento de Arturo. 1989 Aprendió a caminar. 1990 Aprendió a hablar. 1991 Nacimiento de Juana. 1994 Asistió a la escuela. 1996 Cursó tercer grado. 1997 Conoció la geografía e historia del estado.

 Actividad

Platica con tus familiares y otras personas mayores acerca de los juguetes que ellos usaron cuando eran niños. Dibuja los juguetes de antes y los juguetes de hoy. Describe los cambios que han tenido con el transcurso del tiempo.

 El tiempo se puede medir en días, meses, años, décadas y siglos. Una década es equivalente a 10 años. Un siglo representa 100 años.

 Las cosas y la vida cambian con el transcurso del tiempo.

La forma de realizar las actividades de los seres humanos también cambia con el tiempo.

Michoacán tiene una historia

> ¿Cómo se conocen los hechos sucedidos en Michoacán?

De acuerdo con lo estudiado en páginas anteriores, se puede hablar de la historia de una persona, de una familia o de un pueblo. Los hechos sucedidos y las personas que han destacado por sus actividades integran la *historia de Michoacán*.

Los hechos que sucedieron en el pasado, ya sea en el mundo, en México o en territorio michoacano, y que afectaron el modo de vivir de los michoacanos, forman parte de la historia de nuestra entidad.

Los arqueólogos, etnógrafos, lingüistas e historiadores trabajan para elaborar la historia de la entidad.

Para conocer las actividades de los primeros pobladores de Michoacán, los arqueólogos estudian los testimonios que han quedado en los objetos y obras que hicieron. Por ejemplo, las **yácatas** de Tzintzuntzan.

Los lingüistas estudian las lenguas que aún se usan para la comunicación de las personas, principalmente la lengua p'urhepecha.

Yácatas de Tzintzuntzan.

Los etnógrafos estudian las regiones en las que viven los descendientes de los pobladores prehispánicos. Estudiando las costumbres que se practican en la actualidad, se obtienen datos acerca de las formas antiguas de la vida de estos pueblos. Se puede citar el trabajo que lleva a cabo el Centro Regional de Educación Fundamental en las zonas rurales de América Latina (CREFAL).

Indumentaria típica de Ihuatzio.

Los historiadores se sirven de diferentes testimonios para conocer la historia de Michoacán: relatos, libros, objetos, biografías, periódicos y museos.

Los relatos orales que hicieron los indígenas a los primeros frailes sirvieron para conocer el pasado de Michoacán. Fray Jerónimo de Alcalá acumuló los relatos indígenas en un texto que se titula *Relación de las ceremonias, ritos, población y gobierno de los indios de ·la Provincia de Michoacán*. Este documento se ha convertido en una fuente de información acerca del origen del pueblo p'urhepecha, porque permite saber cómo se integró su reino y cómo se llevó a cabo su destrucción.

Los lienzos elaborados en fibra de algodón también permiten conocer la historia. Un ejemplo es el lienzo de Jucutácato en el que se relatan los acontecimientos más importantes de un grupo de pobladores prehispánicos.

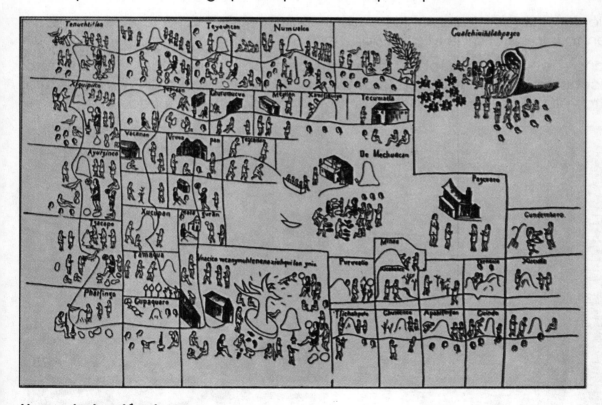

Lienzo de Jucutácato.

Los testimonios de la historia de Michoacán también se encuentran en los museos o *centros de recopilación y estudio de objetos, fotografías, documentos y libros del pasado.*

Museo michoacano.

Los periódicos, libros, documentos y biografías de personajes también se usan para conocer la historia de Michoacán.

En el año de 1989, el Gobierno del estado de Michoacán y el Instituto Michoacano de Cultura editaron la obra *Historia general de Michoacán*, escrita en cuatro volúmenes que permiten conocer el pasado de la entidad.

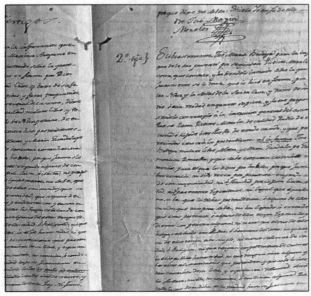

Documento con la firma de Morelos.

Textos de la historia de Michoacán.

Mediante las líneas del tiempo se puede organizar la información referente a las épocas y hechos históricos del pasado michoacano.

 **Actividad**

Solicita la ayuda del maestro y de tus compañeros. Entre todos elaboren una gran línea del tiempo como la de la ilustración. Coloquen la línea del tiempo en las paredes del salón. A lo largo del curso, agreguen datos acerca de la historia del estado de Michoacán.

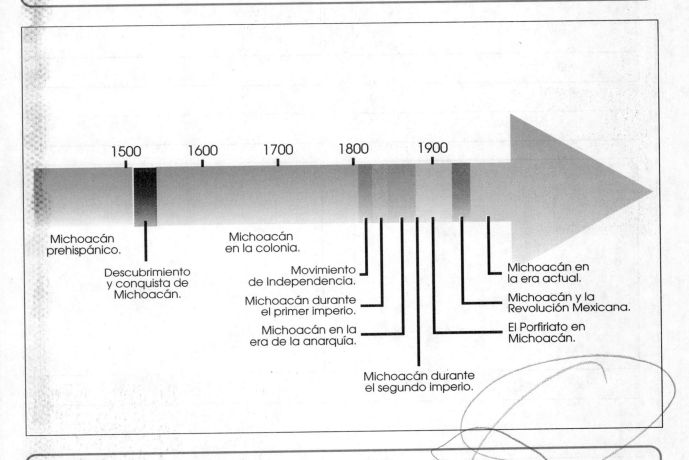

 **Actividad**

Solicita a personas mayores que te relaten algún hecho histórico.

Busca en un periódico una noticia referente a un hecho histórico.

Consulta los datos biográficos de algún personaje michoacano.

Visita un lugar histórico o pregunta sobre alguna costumbre de tu localidad que se practique desde hace muchos años.

En la siguiente página, haz un dibujo y un breve resumen de los resultados de tu investigación.

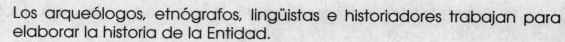

EL PASADO DE MI ESTADO

Pobladores prehispánicos de Michoacán

¿Quiénes fueron los primeros pobladores de Michoacán?

Hace muchos años, América era un lugar sin habitantes. Se piensa que los primeros pobladores del continente americano llegaron de Asia. Hace aproximadamente cuarenta mil años, la Tierra se enfrió y el estrecho de Bering, que separa a Asia de América, se cubrió de hielo. Los habitantes de Asia no vivían en lugares fijos, para alimentarse y sobrevivir recolectaban hierbas, frutas y semillas; también cazaban diferentes tipos de animales. Usaban armas e instrumentos hechos con piedras, huesos y ramas de árboles. Cuando se terminaba la vegetación y los animales escaseaban, se trasladaban a otro lugar. Por esta razón se les conoce con el nombre de *nómadas*.

La constante búsqueda de alimentos provocó que los nómadas cruzaran el estrecho de Bering y avanzaran lentamente hacia el sur y poblaran el continente americano.

Poco a poco aprendieron a cultivar el maíz, el frijol, la calabaza y el chile. Domesticaron animales y construyeron casas de barro y adobe. Ya no tenían que viajar a otros sitios. Por vivir en un solo lugar se les llama *sedentarios*.

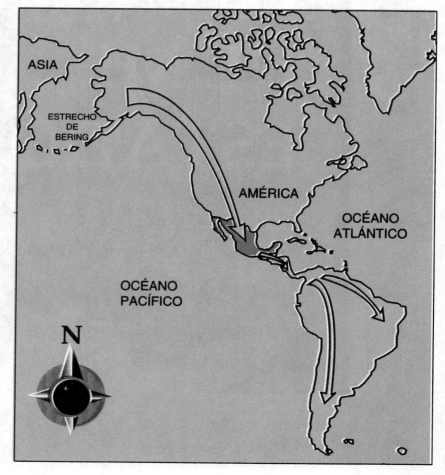

Los primeros pobladores de América llegaron de Asia por el estrecho de Bering.

El territorio de Michoacán se fue poblando con diferentes grupos de indígenas: los tecos vivieron en el oeste, los huachichiles en el norte, los michoaques en las orillas del lago de Pátzcuaro, los nahuas y cuauhcomecas en el sur, los otomíes y mazahuas en el este y los matlatzincas en lugares que ahora pertenecen a los municipios de Charo y Huetamo.

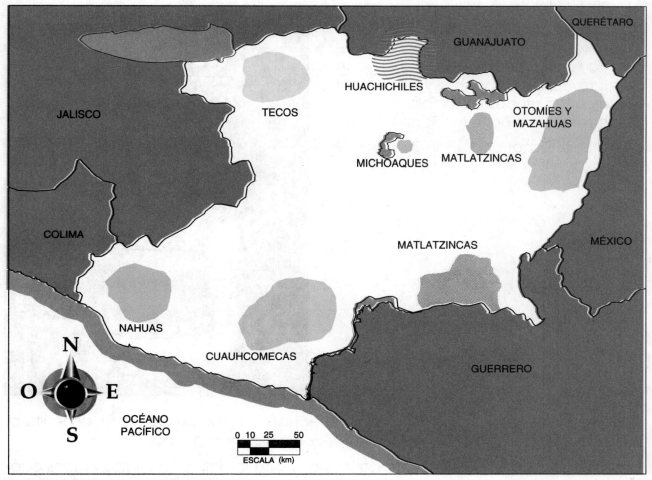

Pobladores indígenas de Michoacán.

Tiempo después llegaron los *p'urhepechas*. Este grupo de indígenas, que hablaban la lengua phoré, se integró con cuatro familias: los *zacapuireti* o habitantes de Zacapu, los *eneani* o los que están del otro lado, los *uecamecya* o caídos al agua y los *purembecya* o llegados tarde.

Bajo la dirección de sus caudillos, los p'urhepechas fueron conquistando a los otros pueblos de indígenas y llegaron a formar un gran señorio. Se conquistó tierra caliente, la región de los valles del norte, la costa y la sierra de Coalcomán.

El gobernante de los p'urhepechas recibía el nombre de *cazonci* y era considerado el representante del dios Curicaueri.

Tariácuri y Tzitzipandácuare fuerón cazoncis p'urhepechas que realizaron actividades importantes durante esta época.

Cuando Tariácuri fue cazonci, el señorío P'urhepecha comenzó su expansión, conquistando a los pueblos de los alrededores del lago de Pátzcuaro y algunos de la Tierra Caliente.

Bajo la dirección del cazonci Tzitzipandácuare, el territorio del señorío P'urhepecha tuvo su mayor extensión, lo que se logró con la conquista y el dominio de los otros grupos de pobladores. La cabecera del señorío fue Tzintzuntzan.

Los últimos cazoncis fueron Zuangua y Tangaxoan II.

Tzitzipandácuare.

Las actividades principales de los p'urhepechas fueron la pesca, caza, agricultura, explotación forestal, minería, artesanía, el comercio y la guerra.

El consumo de pescado fue importante en la alimentación. En los ríos y lagos capturaban pescado blanco y charal, también ranas y culebras de agua. Además, se practicó el cultivo de peces, para lo cual hacían tanques de agua, usando tablas forradas con brea.

De la agricultura, además de los productos para la alimentación, se obtenía cacao y algodón. Para tener mejores cosechas hicieron obras de riego cerca de los ríos Balsas y Tepalcatepec, y en la región de la Costa.

Las maderas de pino, roble, oyamel y parota fueron explotadas y usadas para la construcción de viviendas, trojes y medios de transporte. También se usaron para mantener el fuego de los **cúes**.

El oro, la plata y el estaño son metales que fueron conocidos y utilizados por los p'urhepechas. Mención especial merece el cobre, que se usó para hacer tarecuas y para la fabricación de armas usadas en la guerra.

90

En algunos poblados cercanos a los lagos de Pátzcuaro y Cuitzeo, se llevaban a cabo intercambios comerciales de muchos productos traídos de otros lugares. Principalmente se usaba el trueque o cambio de un producto por otro. En los tianguis se intercambiaban los siguientes objetos: pescado blanco de Pátzcuaro, charal de Cuitzeo, sal de Colima, vestidos y mantas de la sierra, artículos de tule, palma y plumas de diferentes poblaciones, así como objetos de oro, plata, cobre y barro.

 **Actividad**

En el cuadro se encuentran los nombres de tres familias p'urhepechas: uecamecya, eneani y purembecya. El nombre de otro grupo de índigenas: otomíes. El nombre del continente que habitamos: América. También se encuentra el nombre que se daba al gobernante de los p'urhepechas y los nombres de dos gobernantes.

Juega con un compañero para ver quién localiza primero las palabras indicadas.

A	M	E	R	I	C	A	P	T	S
S	T	A	R	I	A	C	U	R	I
S	O	L	M	N	E	I	R	I	T
Z	U	A	N	G	U	A	E	M	S
Q	E	N	E	A	N	I	M	E	N
O	T	O	M	I	E	S	B	O	L
M	R	E	T	S	A	A	E	B	A
Q	U	E	C	A	M	E	C	Y	A
Z	R	T	E	C	O	S	Y	Q	M
C	A	Z	O	N	C	I	A	S	A

 Los primeros pobladores de Michoacán fueron los tecos, otomíes, mazahuas, matlatzincas, huachichiles, nahuas, cuauhcomecas, michoaques y p'urhepechas.

El grupo p'urhepecha se integró con las familias llamadas zacapuireti, eneani, uecamecya y purembecya.

Tariácuri y Tzitzipandácuare fueron cazoncis importantes de los p'urhepechas.

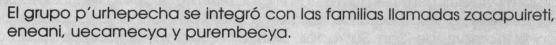

91

Descubrimiento y conquista de Michoacán

¿Qué importancia tuvieron para México los hechos realizados por Cristóbal Colón y Hernán Cortés?

Mientras en el continente que ahora se llama América se desarrollaron las culturas p'urhepecha y mexica, en Europa, los habitantes de España y Portugal buscaban nuevos caminos para llegar a Asia. Los reyes católicos de España, Isabel y Fernando, ayudaron a Cristóbal Colón para que hiciera un viaje por el océano Atlántico con el propósito de llegar a la India.

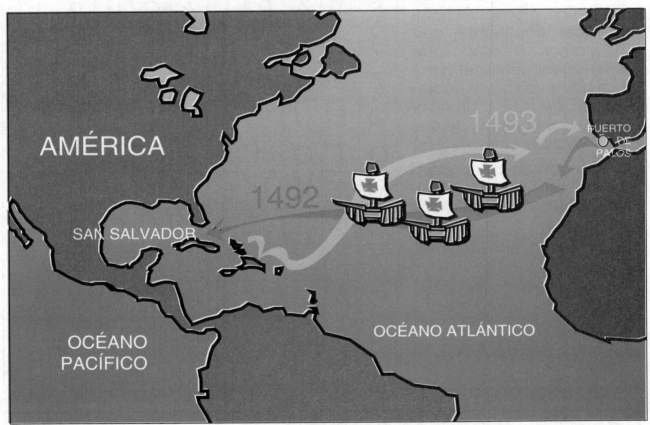

Viaje de Cristóbal Colón.

El día 3 de agosto de 1492, Cristóbal Colón salió del puerto de Palos. Él y sus hombres viajaron en tres naves, la *Niña*, la *Pinta* y la *Santa María*. Después de 70 días de viaje, el 12 de octubre llegaron a la isla de Guanahaní, que fue bautizada con el nombre de San Salvador. Con este suceso entraron en contacto dos mundos, el de los europeos y el de las Indias, primer nombre con el que se conoció a nuestro continente.

En el año de 1499, Américo Vespucio hizo su primer viaje a las Indias. Escribió acerca de las tierras descubiertas y gracias a sus estudios se dieron cuenta de que se trataba de un nuevo continente. A partir de entonces, Asia, Africa y Europa se consideran como el Viejo Mundo y el *Nuevo Mundo* se llama América.

Los españoles construyeron poblaciones en las islas de las Antillas. Desde esos lugares organizaron viajes hacia las tierras del continente y se dieron cuenta de la existencia de ciudades con una gran riqueza. El gobernador de Cuba organizó una nueva expedición con Hernán Cortés como capitán.

Hernán Cortés, conquistador de México.

En el mes de abril de 1519, Hernán Cortés llegó a las costas del golfo de México. Allí fundó la Villa Rica de la Vera Cruz, primer pueblo de españoles en tierra firme. Desde este lugar continuó la conquista de México.

En el año de 1520, cuando los españoles conquistaban a México Tenochtitlan, el señorío P'urhepecha era gobernado por el cazonci Zuangua. Los p'urhepechas se dieron cuenta de la llegada de los españoles debido a que los mexicas enviaron embajadores a Tzintzuntzan, con el propósito de solicitar ayuda para luchar contra los hombres de Hernán Cortés.

Zuangua llamó a sus consejeros y les dijo que no entendía lo que estaba sucediendo.

A pesar de todas sus dudas, el cazonci envió varios mensajeros a Tenochtitlan para conocer más acerca de los españoles. Sin embargo, las enfermedades de los españoles llegaron primero; en Tzintzuntzan, la viruela mató a Zuangua y a varios señores, sacerdotes y gente común. Los miembros del consejo eligieron como nuevo cazonci a Tangaxoan II, hijo mayor de Zuangua y mejor conocido como Tzintzicha.

Hernán Cortés supo de la existencia del señorío P'urhepecha; por lo que le habían platicado los mexicas y los embajadores del cazonci tuvo interés en conocer si por su territorio se podía llegar a la Mar del Sur (océano Pacífico). Cortés envió expediciones a territorio p'urhepecha para su conocimiento y para pedir que se rindieran y fueran vasallos de los reyes españoles.

Cristóbal de Olid.

El capitán Cristóbal de Olid fue enviado para conquistar el reino P'urhepecha. Tzintzicha ordenó que todos los pueblos participaran en la guerra contra los españoles. Los españoles vencieron a los guerreros p'urhepechas en Taximaroa y apresaron a Cuinierángari, hermano del cazonci.

Tzintzicha partió para Uruapan y los españoles saquearon el oro y la plata de los cúes y de las casas de los caciques.

Tzintzicha fue descubierto y llevado ante la presencia de Cristóbal de Olid, quien lo envió con Hernán Cortés. Éste le dijo que tratara bien a los españoles y ya no pidiera **tributos** a los otros pueblos, para que siguiera siendo el cazonci.

En el año de 1523 se hizo un estudio de los recursos naturales y de los pueblos michoacanos para poder hacer el reparto de tierras y de la población indígena entre los conquistadores. Los españoles, de acuerdo con los servicios prestados al rey de España, recibieron *mercedes de tierra*, es decir, concesiones de tierra destinadas al cultivo y a la cría de ganado. Mediante la introducción de la ganadería, Michoacán se llenó de una gran variedad de animales, desconocidos hasta entonces: caballos, mulas, asnos y cerdos.

Los españoles también recibieron *encomiendas*, es decir, un conjunto de hombres que vivían en los pueblos vecinos y que tenían la obligación de trabajar para el encomendero español.

En el año de 1528, Nuño de Guzmán comenzó la conquista del occidente de México, por lo que solicitó a Tzintzicha la preparación de diez mil hombres y la entrega de grandes cantidades de oro. Pensando que los nobles indígenas podían participar en la evangelización de los p'urhepechas, en la ciudad de México bautizaron a Tzintzicha con el nombre de Francisco Tangaxoan y a su hermano con el de Pedro Cuinierángari. Una vez convertidos a la fe cristiana, regresaron a Michoacán acompañados de frailes franciscanos. Poco después los encomenderos españoles acusaron a Tzintzicha de cobrar tributos que a ellos les correspondía y de seguir adorando a sus dioses, a pesar de estar bautizados, y de mandar asesinar a varios españoles. Tzintzicha fue condenado a morir, sentencia ejecutada el 14 de febrero de 1530.

Con la muerte de Tangaxoan II terminó la conquista militar del señorío P'urhepecha por los españoles.

Nuño de Guzmán.
Dibujo en el Lienzo de
Tlaxcala.

Cuando terminó la conquista militar de Michoacán, continuó la evangelización de los indígenas, la cual fue llevada a cabo por los misioneros franciscanos, agustinos y jesuitas.

Para comenzar con la evangelización, los franciscanos derribaron los templos e ídolos indígenas, después enseñaron el idioma español y la doctrina cristiana. San Francisco Tzintzuntzan se convirtió en la primera iglesia franciscana de Michoacán.

Para resolver el problema del idioma y conocimiento de las costumbres indígenas, los frailes estudiaron la lengua p'urhepecha. Fray Jerónimo de Alcalá aprendió a hablar en p'urhepecha y, con el testimonio de los indígenas, escribió una crónica llamada *Relación de Michoacán*.

Debido a las enfermedades que padecieron los indígenas, surgió la necesidad de crear hospitales-pueblos, lugares donde eran atendidos y aprendían a leer, cantar, cultivar la tierra y a fabricar artesanías. En esta labor destacó Vasco de Quiroga, quien fundó el primer hospital-pueblo llamado Santa Fe de la Laguna.

Fray Jerónimo de Alcalá y Vasco de Quiroga.

Para que ayudaran en la evangelización de los indígenas, los nobles p'urhepechas fueron enviados a escuelas, donde hubo un intercambio de lenguas y costumbres. Por ejemplo, se sabe que el segundo hijo de Tzintzicha, Antonio Huitziméngari y Mendoza, asistió a la Casa de Estudios Mayores, colegio fundado por el fraile Alonso de la Vera Cruz en Tiripetío.

Fray Alonso de la Vera Cruz participó en la evangelización de los indígenas en la zona del río Balsas y en los poblados de Tierra Caliente.

Fray Alonso de la Vera Cruz.

 **Actividad**

Organicen equipos de trabajo de 5 alumnos.

Lean la información contenida en esta lección y seleccionen hechos importantes. Escriban 6 noticias informativas para elaborar un noticiario histórico.

Por ejemplo: *"En el año de 1520, los p'urhepechas se enteraron de la llegada de los españoles por los embajadores mexicas"*.

Lean sus noticias a los demás compañeros del grupo.

 La conquista militar de Michoacán fue hecha por los españoles al mando de Cristóbal de Olid primero y de Nuño de Guzmán después.

Franciscanos, agustinos y jesuitas fueron grupos religiosos que evangelizaron a los p'urhepechas.

Vasco de Quiroga fundó hospitales-pueblos para atender a los indígenas.

Alonso de la Vera Cruz fundó la Casa de Estudios Mayores en Tiripetío.

Michoacán en la época colonial

1522   1810

Época colonial

Conquista de
Michoacán.

Inicio de la lucha
por la independencia
de México.

Después de la conquista, los territorios de los p'urhepechas y mexicas pasaron a formar parte de la Nueva España, nombre con el que se conoció esta colonia de España. El periodo comprendido entre 1521 y 1810 recibe el nombre de época colonial.

El rey de España y un grupo de españoles llamado *Consejo de Indias* gobernaron a la Nueva España durante la época colonial. Ellos se ocupaban del nombramiento de las autoridades de los territorios conquistados, primero nombraron *gobernadores generales* y, a partir del año de 1535, el representante del rey en la Nueva España recibió el nombre de *virrey*. A esta organización de gobierno se le conoce como virreinato.

Antonio de Mendoza fue el primer virrey de Nueva España; tuvo las funciones de gobernador, juez, capitán general y vicepatrono de la Iglesia.

Para auxiliar en el cumplimiento de las leyes, en las ciudades de México y Guadalajara se establecieron las *audiencias reales*. Algunos de los problemas que atendían fueron la situación de los indígenas, la organización de las encomiendas, el trabajo de los *tamemes* o indios de carga, el cobro de los tributos, la vida de los caciques, la fundación de pueblos y ciudades.

Antonio de Mendoza, primer virrey de la Nueva España.

La Nueva España se dividió en provincias, una de ellas fue la *Provincia Mayor de Michoacán.*

Posteriormente, la Nueva España se organizó en intendencias, el territorio de Michoacán perteneció a la *Intendencia de Valladolid* dividida en partidos o distritos, y éstos, a su vez, en municipios y pueblos de indios.

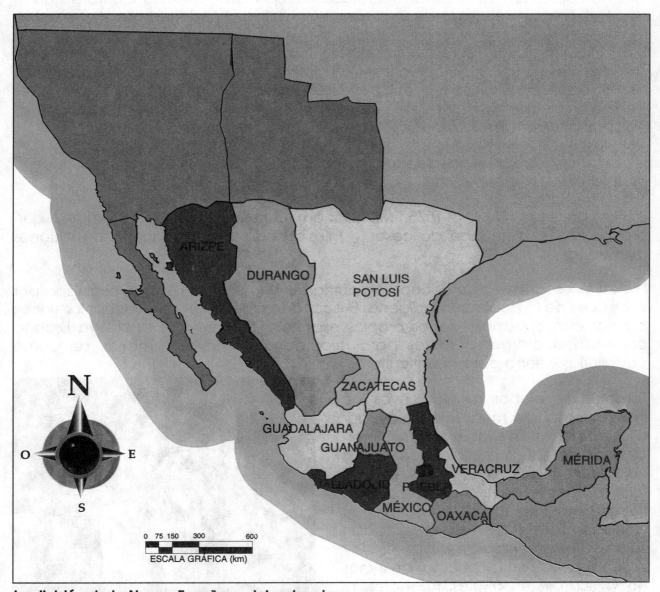

La división de la Nueva España en intendencias.

Los *alcaldes mayores y los corregidores* ejercían el gobierno de las provincias, los primeros regían los distritos de españoles y los segundos a los pueblos de indios.

En los pueblos de indios gobernaba un *cacique*, descendiente de los señores de la época p'urhepecha. Recibían tierras comunales para vivir y trabajar; se les asignaba un lugar para que construyeran sus casas, tierras con pastizales para el ganado, tierras para las **cofradías** y hospitales, y tierras cerriles para obtener leña y madera.

Durante la primera parte de la época colonial, la población indígena de Michoacán disminuyó considerablemente.

La guerra de conquista y las enfermedades traídas por los españoles provocaron la muerte de gran cantidad de pobladores michoacanos. La orden de Nuño de Guzmán para que participaran, junto con los españoles, en la conquista del norte de México también influyó en la disminución de la población.

Los indios esclavos fueron obligados a trabajar en las minas de Tamazula, Zapotlán, Tuxpan, Zacatula y la cuenca del río Balsas; los trabajos forzados y las condiciones de las minas provocaron que muchos indios murieran. Los indios libres debían producir alimentos para los trabajadores de las minas; las largas caminatas para llevar estos alimentos, disminuyeron aún más el número de ellos.

El maltrato y las epidemias de viruela y sarampión fueron otras de las causas de la muerte de los p'urhepechas.

En los años de 1567 y 1575, Michoacán fue sacudido por terremotos que provocaron el derrumbe de casas e iglesias, causando la muerte de muchos michoacanos.

Los reyes españoles se preocuparon por la disminución de tributos, originada por el **deceso** de la población indígena. Buscando la forma de aprovechar las tierras baldías con el trabajo de los propios españoles, el virrey de la Nueva España comenzó a otorgar permisos para criar ganado mayor y menor, así como caballerías y tierra para la agricultura.

También se elaboraron las Leyes de Indias, como una medida para ayudar a los indígenas. En ellas se establecieron algunos derechos para la vida de los habitantes indígenas. Por ejemplo: al formar nuevos pueblos se les daban tierras para sus labores agrícolas y su ganado, los indígenas no estaban sujetos al servicio militar, la ley ordenaba que en los pueblos de indios no vivieran ni españoles, ni negros, ni mestizos.

Después de la catástrofe sufrida por los indígenas en el siglo dieciséis, la población de Michoacán comenzó a crecer en el siglo diecisiete, con la llegada de nuevos pobladores.

Población indígena.
Detalle del mural pintado por Abel Medina en el Palacio Municipal de Zitácuaro.

Los españoles trajeron africanos para que realizaran los trabajos pesados en las minas y las haciendas.

La población de Michoacán estaba formada por españoles, indígenas y africanos. Los españoles recibían dos nombres diferentes: *peninsulares* si habían nacido en España, y *criollos* cuando nacían en América. Con el paso del tiempo se formó la población mestiza, producto de la mezcla de los diferentes grupos.

 **Actividad**

Completa los siguientes cuadros de información, de acuerdo con cada uno de los títulos.

Autoridades de la Nueva España	Causas de la muerte de los indígenas	Grupos de pobladores
Virrey	*Guerra de conquista*	*Españoles*

  El territorio michoacano formó parte de la Nueva España, primero como *Provincia Mayor* de Michoacán y después como *Intendencia de Valladolid*.

Mientras el virrey gobernaba la Nueva España, los alcaldes mayores y los corregidores se encargaban del gobierno de las provincias.

Los indígenas se congregaron en pueblos gobernados por un cacique.

La población indígena disminuyó debido a la guerra de conquista, a las epidemias de viruela y sarampión, a los terremotos y al maltrato dado por los españoles.

La población de Michoacán se recuperó y se originó una población diversa formada por españoles, indígenas, africanos y mestizos.

Poblaciones y cultura coloniales

Al principio de la época colonial, las autoridades religiosas, civiles y militares se establecieron en Tzintzuntzan. Esta ciudad se convirtió en la primera capital de la provincia michoacana y recibió el nombre de *Uitzitzila de Mechoacan*.

Después de la fundación del **obispado** de Michoacán, Vasco de Quiroga trasladó la sede episcopal a Pátzcuaro, poblado que se convirtió en la segunda capital de la Provincia de Michoacán y se le conoció como *Mechoacan de Pátzcuaro*.

En 1541, el virrey Antonio de Mendoza fundó la nueva Ciudad de Michoacán en el valle de Guayangareo; lugar que recibió el nombre de Valladolid. En los años de 1575 y 1580 se trasladaron a Valladolid las autoridades civiles y religiosas de Michoacán, convirtiéndose en la nueva capital de esta provincia.

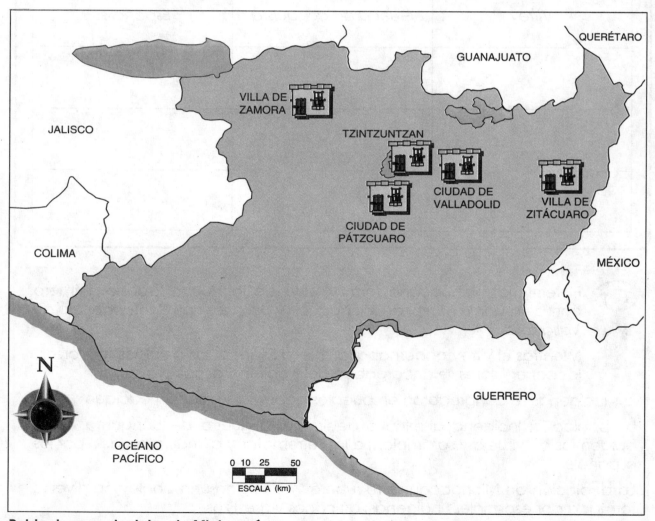

Poblaciones coloniales de Michoacán.

Poblaciones de menor importancia fueron las villas de Zamora y San Juan Zitácuaro.

Los *pueblos de indios* se construyeron alrededor de los conventos. Citaremos algunos ejemplos de la fundación de pueblos de indios.

El 26 de junio de 1540 se fundó el pueblo de San Lucas Áporo, en el que vivieron naturales de Tlaxcala que ayudaron a los españoles en la conquista.

El virrey Antonio de Mendoza ordenó la fundación del pueblo San Juan Maravatío en el año de 1540.

El 25 de julio de 1556, los agustinos fundaron el pueblo de Ario de Santiago, el que se convirtió en enlace comercial entre la zona templada y la tierra caliente.

Los pueblos permitieron la organización del trabajo productivo y la recolección de tributos.

 **Actividad**

Haz un mapa histórico. Localiza los sitios en que se fundaron las villas, pueblos y ciudades michoacanos. Cuando sea posible escribe la fecha de su fundación.

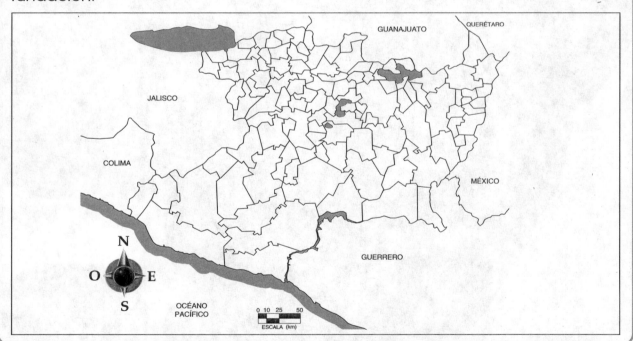

A fines del siglo dieciséis, algunos españoles compraron grandes extensiones de tierra. Con el tiempo, acapararon el mayor número de tierras y se formaron las *haciendas*.

Una hacienda se formó con una casa grande donde vivían los propietarios, una capilla para los asuntos religiosos, trojes para almacenar la cosecha, huertas de árboles frutales, tierras para la agricultura, ganadería y productos forestales.

Las haciendas se convirtieron en lugares importantes del medio rural, en ellas crecieron los mestizos y vivieron los indígenas que no estaban a gusto en sus pueblos. Los pueblos de indios sirvieron de fuente de mano de obra para las haciendas. A partir de entonces, la producción agropecuaria se hizo en dos lugares, en las haciendas y en los pueblos indígenas.

En esta época, también había propiedades de tierra menores que las haciendas, generalmente vivían y trabajaban en ellas los miembros de una sola familia. Estas pequeñas propiedades se convirtieron en *ranchos*.

La ciudad de Valladolid se convirtió en la sede del obispado más rico de la Nueva España. En su territorio estaban la mitad de las minas y buena parte de las haciendas.

La vida de Valladolid giraba alrededor de la organización religiosa. El clero tuvo acceso a las nuevas ideas de la **Ilustración**, que hacían mención de la libertad y la igualdad de derechos entre los hombres.

El Real Colegio de San Nicolás de Valladolid fue un centro cultural a donde llegaron las ideas de libertad y los conocimientos más avanzados de la época.

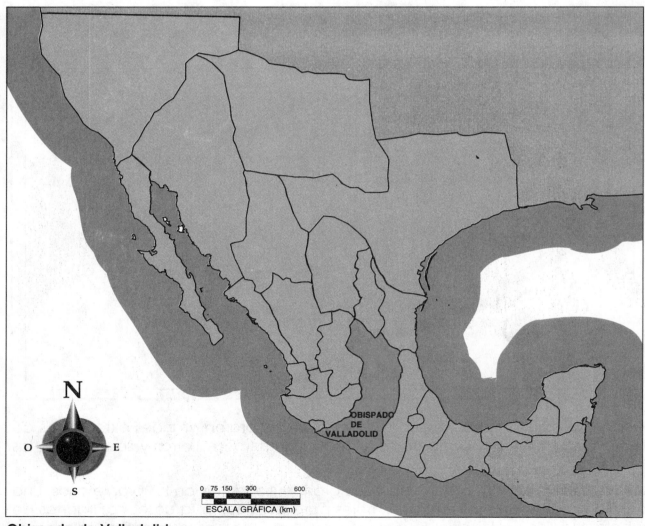

Obispado de Valladolid.

Las nuevas ideas adoptadas por el cristianismo se abrieron paso en Valladolid con muchas dificultades. Estuvieron representadas y defendidas por el obispo fray Antonio de San Miguel, su **deán** José Pérez Calama, Manuel Abad y Queipo y el rector del Colegio de San Nicolás, Miguel Hidalgo y Costilla.

El año de 1786 fue conocido como el *año del hambre*, situación provocada por una sequía. El obispo y sus colaboradores realizaron obras de servicio público para dar trabajo a los desocupados. Gracias a estas actividades se construyeron calzadas, **acueductos**, puentes y **alhóndigas**.

José Pérez Calama propuso la creación de una sociedad de Amigos del País en Valladolid, para promover el trabajo manufacturero y la educación de sus habitantes.

Manuel Abad y Queipo propuso los cambios sociales más avanzados de su tiempo; los presentó al obispo Antonio de San Miguel, quien los adoptó como suyos y los hizo llegar al rey en 1799.

Antonio de San Miguel.

José Pérez Calama.

Las propuestas de Abad y Queipo y Antonio de San Miguel fueron:

- Abolición general del tributo entre los indios y las castas.
- División gratuita de las tierras propiedad de las autoridades, entre los indios y las castas.
- División gratuita de las tierras de comunidades de indios, entre los indios de cada pueblo.
- Ley agraria para rentar las tierras que no cultivaban los grandes propietarios.
- Libertad para vivir en los pueblos de indios.
- Permisos para establecer fábricas de algodón y lana.

La difusión del pensamiento ilustrado hizo que se conociera la realidad social del virreinato, formándose hombres decididos a resolver los problemas con medidas nuevas y revolucionarias.

Manuel Abad y Queipo. Fragmento de una pintura de David A. Siqueiros.

En la época colonial, las capitales de la provincia de Michoacán fueron Tzintzuntzan, Pátzcuaro y Valladolid.

La producción agropecuaria se realizó en los ranchos, las haciendas y los pueblos de indios.

Las ideas de la Ilustración fueron conocidas por el clero michoacano.

La explotación de los indios y el desarrollo cultural, junto con otras razones, hicieron que los hombres ilustrados propusieran acciones para organizar de mejor modo las actividades de los pobladores de la Nueva España.

El movimiento de Independencia

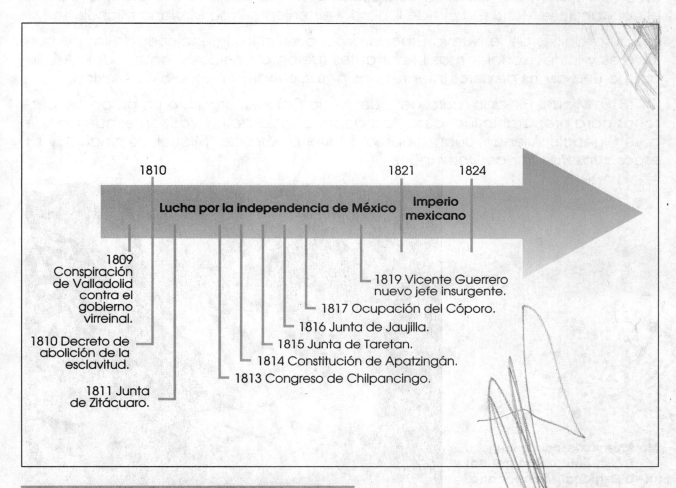

1810

Lucha por la independencia de México

1821   **1824**

Imperio mexicano

1809 Conspiración de Valladolid contra el gobierno virreinal.

1810 Decreto de abolición de la esclavitud.

1811 Junta de Zitácuaro.

1813 Congreso de Chilpancingo.

1814 Constitución de Apatzingán.

1815 Junta de Taretan.

1816 Junta de Jaujilla.

1817 Ocupación del Cóporo.

1819 Vicente Guerrero nuevo jefe insurgente.

¿Qué significa independizarse?

A fines del siglo dieciocho y principios del diecinueve sucedieron hechos que obligaron a los habitantes de la Nueva España a luchar por la independencia de México.

España estaba en guerra con Inglaterra y Francia, por lo que la corona española exigió mayores tributos a sus colonias. En el año de 1808 los franceses invadieron España y el rey español renunció al trono. Las colonias españolas de América, entre ellas la Nueva España, se quedaron sin gobierno legítimo.

En la Nueva España, los españoles peninsulares ocupaban casi todos los puestos importantes en el gobierno, en la Iglesia y en el ejército.

Los criollos tenían pocas oportunidades de ocupar puestos de importancia. Los indios, los negros y los mestizos vivían en malas condiciones.

Las ideas de igualdad y libertad guiaron la lucha política de los criollos. Pensaban que si se lograba el apoyo de muchas personas se podría formar una *Junta Nacional* que gobernara en la Nueva España.

En el año de 1809, los criollos se reunían para discutir lo que se tendría que hacer en esos momentos difíciles. La **conspiración** de Valladolid estuvo organizada por el capitán José María García de Obeso y el teniente José Mariano Michelena.

Las autoridades de la Nueva España descubrieron las intenciones de los conspiradores y los personajes más importantes fueron detenidos y castigados. Así, se acabó uno de los primeros intentos por lograr la independencia de México.

En 1810, Miguel Hidalgo, cura del pueblo de Dolores, organizó un grupo de personas para preparar la lucha por la independencia de México, en el que participaron Ignacio Allende, Juan Aldama, Mariano Abasolo, Miguel Domínguez y su esposa Josefa Ortiz de Domínguez.

Movimiento de Independencia. Fragmento del mural del Museo Regional Michoacano.

En la madrugada del día 16 de septiembre de 1810, Miguel Hidalgo dio el "Grito de Dolores" y comenzó la lucha por la independencia de México.

En Valladolid se tuvo conocimiento del movimiento insurgente desde el día 20 de septiembre. Los españoles que vivían allí decidieron huir antes que enfrentar al ejército insurgente victorioso.

Después de permanecer en Guanajuato, el ejército encaminó sus pasos hacia Valladolid; pasó por Zinapécuaro, Indaparapeo y Charo, llegando a la ciudad por la loma del Zapote. El día 17 de octubre, los insurgentes entraron a Valladolid sin ninguna resistencia. Los habitantes **vallisoletanos** recibieron con gran entusiasmo al ahora conocido como *Padre de la Patria*, quien había vivido cerca de 27 años en esa ciudad y era muy conocido y querido.

Miguel Hidalgo designó nuevas autoridades de la Intendencia de Valladolid, otorgando el cargo de intendente a José María de Anzorena.

El 19 de octubre de 1810 se publicó un **bando** solemne, aboliendo la esclavitud y los tributos en toda la América.

"A todos los dueños de esclavos y esclavas, que inmediatamente que llegue a su noticia esta orden superior, los pongan en libertad otorgándoles las escrituras para que puedan trabajar y contratar, comparecer en juicio y hacer las demás cosas que hacen las personas libres; y no haciéndolo así los citados dueños de esclavos y esclavas sufrirán la pena capital y la confiscación de todos sus bienes..."

Fragmento del bando que abolía la esclavitud, tal como aparece en el mural del Palacio de Gobierno de Michoacán, pintado por Alfredo Zalce.

Miguel Hidalgo y Costilla.

Después de victorias y derrotas en su lucha contra los *realistas*, Hidalgo llegó nuevamente a Valladolid el 11 de noviembre.

Decidió reorganizar su ejército y se instaló en Guadalajara, donde organizó un gobierno independiente. En Puente de Calderón fue vencido por los realistas, por lo que decide ir hacia el norte.

En Acatita de Baján, los insurgentes fueron traicionados. Hidalgo fue aprehendido, trasladado a Chihuahua y ejecutado el 30 de julio de 1811. Así terminó la primera etapa de la lucha por la Independencia.

Desde los primeros días de la guerra de independencia se tuvo la idea de establecer un gobierno insurgente y organizar un congreso que reuniera a representantes de toda la Nueva España.

Ignacio López Rayón y José María Morelos continuaron la lucha iniciada por Hidalgo. López Rayón fue jefe del ejército insurgente; después de la muerte de Hidalgo, llevó sus **tropas** hasta Zitácuaro.

Ignacio López Rayón.

Investiga los datos biográficos de Miguel Hidalgo y Costilla, Ignacio López Rayón y José María Morelos.

El 19 de agosto de 1811 se organizó, en la villa de Zitácuaro, la Suprema Junta Nacional de América, presidida por Rayón, por José María Liceaga y José Sixto Verduzco.

La Junta de Zitácuaro pretendió la unión de españoles y americanos. Los integrantes de esta Junta Nacional se convirtieron en el principal grupo propagador del pensamiento insurgente.

¿Qué sucedió con la participación de José María Morelos y Pavón?

José María Morelos había nacido en Valladolid, hoy ciudad de Morelia en honor de este luchador por la libertad. Ingresó al Colegio de San Nicolás, cuando se encontraba Miguel Hidalgo y Costilla dirigiendo las actividades como rector del Colegio.

Después fue cura de Carácuaro, lugar en el que atendió a varias comunidades de escasos recursos, junto con los pueblos de Nocupétaro y Acuyo.

Cuando tuvo noticias de la guerra de los insurgentes, Morelos decidió apoyarlos y se dirigió a Valladolid en busca de Miguel Hidalgo.

José María Morelos y Pavón. Monumento en el jardín Morelos de Morelia.

Morelos se reunió con Hidalgo en Charo, dirigiéndose a Indaparapeo, lugar en el que fue nombrado lugarteniente del ejército insurgente. El 20 de octubre de 1810, Hidalgo entregó a Morelos el siguiente nombramiento: "Por el presente comisiono en toda forma a mi lugarteniente el bachiller Don José María Morelos, cura de Carácuaro para que en la costa del sur levante tropas, procediendo a las instrucciones verbales que le he comunicado".*

Morelos, quien estaba de acuerdo con la organización de un gobierno insurgente, recibió con agrado el proyecto de Ignacio López Rayón para organizar la Junta Nacional de América y le indicó a José Sixto Verduzco que lo representara en la Junta de Zitácuaro.

Debido a la convocatoria del caudillo insurgente, el 13 de septiembre de 1813 se organizó, en Chilpancingo, en el actual estado de Guerrero, el primer Congreso Popular.

En esta reunión se leyeron las opiniones políticas de Morelos, escritas en un documento llamado *Sentimientos de la nación,* lo eligieron encargado del Poder Ejecutivo y, en lugar de alteza, prefirió que lo llamaran "siervo de la nación".

Casa en Indaparapeo. Lugar en el que Morelos fue nombrado lugarteniente del ejército insurgente.

Desde Chilpancingo, el Siervo de la Nación organizó la lucha contra los ejércitos realistas establecidos en Valladolid. Salió de Chilpancingo y, pasando por Carácuaro, se encaminó a aquella ciudad, en donde las fuerzas realistas, dirigidas por Agustín de Iturbide, derrotaron a los ejércitos libertadores. Esto sucedió en diciembre de 1813.

En enero de 1814, los realistas vuelven a derrotar a los insurgentes en Puruarán, donde hicieron prisionero a Mariano Matamoros, quien fue fusilado en Valladolid.

---

* INEGI, *José Ma. Morelos y Pavón. Atlas histórico biográfico, México,* 1989, p. 31.

Continuando con el plan de organizar un gobierno mexicano, debidamente constituido, el 22 de octubre de 1814 se dio a conocer el Decreto Constitucional para la Libertad de la América Mexicana, conocido como *Constitución de Apatzingán*.

En la Constitución de Apatzingán se establecieron los siguientes principios:

Los representantes del pueblo tienen la facultad de dictar leyes y de establecer la forma de gobierno que más le convenga a la sociedad.

La felicidad de cada uno de los ciudadanos consiste en disfrutar de la igualdad, seguridad, propiedad y libertad.

La educación de los ciudadanos debe ser apoyada por toda la sociedad.

Los resultados de la guerra no le permitieron a Morelos ejercer su autoridad y, en agosto, se acordó trasladar el gobierno a Tehuacán, Puebla. No se logró este objetivo puesto que los realistas hicieron prisionero a Morelos, quien fue fusilado el 22 de diciembre de 1815 en San Cristóbal Ecatepec, México.

Antes de marchar a Tehuacán, se organizó la Junta Subalterna Gubernativa en Taretan. Sin embargo, ante los constantes ataques de los realistas, se trasladaron al fuerte de Jaujilla, cerca de Zacapu.

El gobierno insurgente de la Junta de Jaujilla fue reconocido por Vicente Guerrero, quien luchaba en el sur.

Jaujilla se mantuvo en poder de los insurgentes hasta marzo de 1818. Después se trasladaron a la hacienda de Zárate, cerca de Turicato.

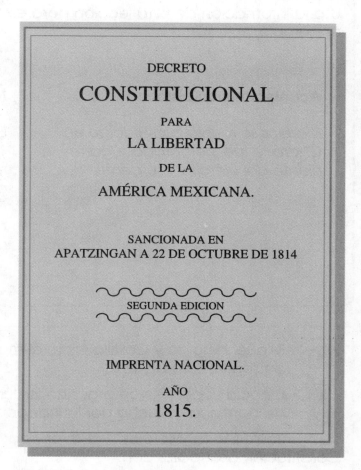

Constitución de Apatzingán.

El virrey Juan Luis de Apodaca ofreció el **indulto** a los insurgentes y muchos se rindieron, entre ellos los defensores de la isla de Mezcala y del fuerte de Cóporo.

La lucha por la Independencia de México se debilitó en todo el estado de Michoacán.

Mención especial merece la participación de las mujeres michoacanas en la lucha por la independencia, destacaron Luisa Martínez, Tomasa Estévez y Gertrudis Bocanegra, conocida como la heroína de Pátzcuaro.

**Gertrudis Bocanegra.
Monumento en Pátzcuaro.**

 Actividad

Usa la infomación de esta lección para escribir un noticiero histórico. Fíjate en el ejemplo:

Acontecimiento histórico

Morelos se reunió con Hidalgo en Charo y fue nombrado lugarteniente del ejército insurgente.

Noticia

El día de hoy, 20 de octubre de 1810, el bachiller José María Morelos logró localizar al jefe insurgente Miguel Hidalgo en Charo. En este lugar Hidalgo entregó un documento a Morelos donde lo nombra su lugarteniente.

 Miguel Hidalgo y Costilla inició el movimiento de independencia el 16 de septiembre de 1810.

Ignacio López Rayón organizó la Junta de Zitácuaro con el propósito de continuar la lucha por la Independencia de México.

José María Morelos y Pavón participó en la elaboración de la Constitución de Apatzingán.

Independencia y primer imperio mexicano

Después de las muertes de Hidalgo y Morelos, el movimiento de independencia se redujo, pero la llama de la libertad quedó encendida en varios lugares y fue conducida por Vicente Guerrero y Guadalupe Victoria, entre otros.

Vicente Guerrero había nacido en Tixtla y participó con Morelos en la lucha por la Independencia de México. Después de la muerte de éste, se encargó de luchar en el sur, donde conocía bien la región, por lo que pudo mantener el movimiento insurgente. Gracias a su apoyo se reorganizó el Supremo Gobierno Republicano, que subsistió hasta 1820 con el nombre de Junta del Balsas.

Vicente Guerrero.

Guerrero padeció privaciones, pero continuó en la lucha insurgente para lograr la independencia de México.

Por el otro lado, en el ejército realista surgió un gran militar. Agustín de Iturbide había nacido en Valladolid y participó con los realistas en la derrota de Morelos en 1813.

Iturbide contó con el apoyo de muchos criollos. Como no pudo vencer al ejército del sur comandado por Vicente Guerrero, lo invitó para que juntos proclamaran la Independencia de México.

Agustín de Iturbide, apoyado por Guerrero, proclamó el 24 de febrero de 1821 el Plan de Iguala, mediante el cual se consumó la Independencia de México, estableciendo tres garantías para todos los mexicanos.

- México es independiente de España.
- La religión de los mexicanos es la católica.
- Unión de todos los habitantes de México.

Bandera Trigarante.

Por esta razón, el ejército libertador se llamó Ejército Trigarante. Se adoptó la bandera con los colores verde, blanco y rojo, conocida como Bandera Trigarante.

El apoyo de los insurgentes al Plan de Iguala se selló con el abrazo de Iturbide y Guerrero en Acatempan.

La unión de los insurgentes y las tropas realistas garantizaron el triunfo del plan. El día 27 de septiembre de 1821, Agustín de Iturbide hizo su entrada triunfal a la Ciudad de México, al frente del ejército de las tres garantías. Iturbide fue declarado hijo predilecto de su ciudad natal, Valladolid, lugar en que se celebró su triunfo con grandes fiestas.

Al consumarse la Independencia de México, quedaba pendiente la forma de gobierno que se habría de establecer. Iturbide estaba de acuerdo en formar un Imperio Mexicano, con un congreso y una constitución. Otros grupos proponían la formación de una República Federal.

El primer imperio mexicano

El 21 de julio de 1822, Agustín de Iturbide fue coronado emperador de México, recibiendo el nombre de Agustín I.

El primer imperio mexicano se enfrentó con muchos problemas. La independencia dejó un país arruinado y las producciones mineras y agrícolas se redujeron.

Pocos meses después surgió la oposición republicana al imperio y al congreso propuesto por Iturbide. Se formuló el Plan de Casamata, en el que participaron Mariano Michelena y Miguel Ramos Arizpe.

Entre 1822 y 1823 los diputados michoacanos actuaron en favor del federalismo y sostuvieron la separación de Michoacán del imperio mexicano. Michoacán tuvo el carácter de entidad independiente hasta el momento en que fue restablecido el Soberano Congreso de México.

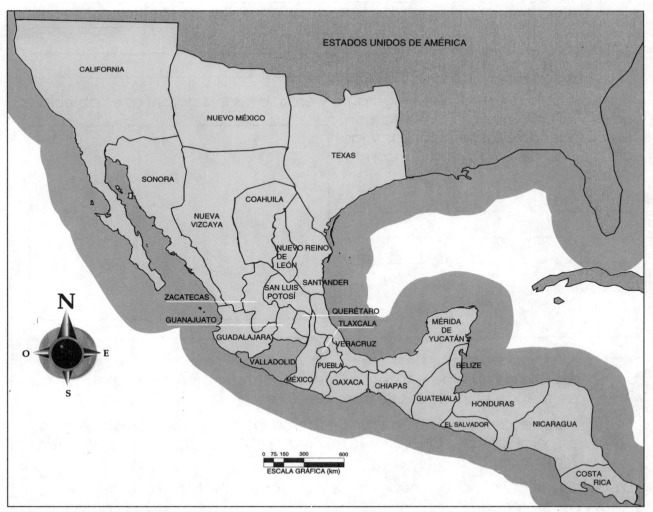

División territorial del Imperio Mexicano.

Después de muchas discusiones y enfrentamientos políticos, el 28 de abril de 1824 el Congreso Mexicano declaró traidor y fuera de la ley a Agustín de Iturbide, y traidores a la federación a quienes ayudaran de cualquier modo a favorecer el regreso de Agustín de Iturbide a la República Mexicana.

El Imperio terminó, Agustín de Iturbide se fue al extranjero y al regresar fue fusilado.

 Actividad

Escribe los hechos ocurridos en cada una de las siguientes fechas y ubícalos en una línea de tiempo.

24 de febrero de 1821 _____

_____

27 de septiembre de 1821 _____

_____

21 de julio de 1822 _____

_____

28 de abril de 1824 _____

_____

Haz un dibujo de la Bandera Trigarante y escribe las tres garantías establecidas en el Plan de Iguala. Comenta con tus compañeros las semejanzas y las diferencias de esta bandera con la actual.

_____

_____

_____

 Agustín de Iturbide y Vicente Guerrero consumaron la Independencia de México el 27 de septiembre de 1821.

Independencia, religión y unión fueron las tres garantías establecidas en el *Plan de Iguala*, y estuvieron simbolizadas en la *Bandera Trigarante*.

La organización inicial del nuevo país independiente fue el Imperio, siendo Agustín I el primer emperador.

Conformación del estado de Michoacán

Después de terminado el imperio de Agustín I, las provincias mexicanas se organizaron en un Congreso Constituyente. Miguel Ramos Arizpe, representante de las provincias de Coahuila y Texas, se convirtió en el líder de un grupo que apoyó la formación de una república federal; por eso se le conoce como el *padre del federalismo mexicano*. Resultado de los trabajos del Congreso fue la Constitución de 1824.

¿Cómo se organizó el gobierno federal
y cuál fue la división territorial?

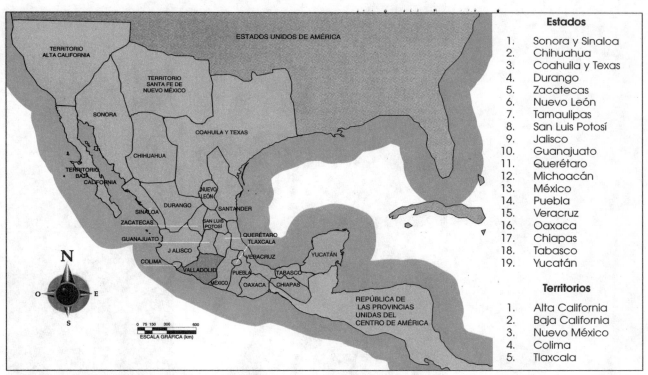

División territorial de México en 1824.

119

La Constitución estableció que se formara una república federal integrada por 5 territorios y 19 estados, uno de los cuales era el estado de Michoacán. Los estados eran libres y federados. Cada estado contaba con tres poderes, igual que el gobierno de la república.

En México, el Poder Ejecutivo se depositó en un solo hombre, siendo Guadalupe Victoria el primer presidente de los Estados Unidos Mexicanos. El poder Judicial residió en la Suprema Corte de Justicia; mientras que el poder Legislativo se dividió en dos cámaras, la de diputados y la de senadores.

De acuerdo con la Constitución Federal, cada uno de los estados tenía su propio gobierno y debió elaborar su constitución.

En 1825 se elaboró la Constitución del estado de Michoacán, instalándose el primer Congreso Constituyente el 6 de agosto.

Las primeras autoridades constitucionales del estado de Michoacán fueron el gobernador Antonio de Castro y el vicegobernador José T. Salgado.

Antonio de Castro, primer gobernador de Michoacán.

 **Actividad**

Completa cada renglón, de acuerdo con las indicaciones y el ejemplo. Lee el nombre que aparece en la primera columna.

Nombre de nuestro estado. ☐☐☐☐☐☐☐☐☐

Estado número 16 del México de 1824. ☐☐☐☐☐☐

Primer apellido del padre del federalismo mexicano. ☐☐☐☐☐☐

Parte de una república federal. ☐☐☐☐☐☐

Elaborar leyes. **L E G I S L A R**

Primera forma de gobierno del México independiente. ☐☐☐☐☐☐☐☐

Nombre del primer gobernador de Michoacán. ☐☐☐☐☐☐☐

 De acuerdo con la Constitución Mexicana de 1824, nuestro país se llamó Estados Unidos Mexicanos, quedando dividido en 19 estados y 5 territorios.

En el año de 1825 se elaboró la Constitución del Estado.

El gobierno estatal se formó con los Poderes Ejecutivo, Legislativo y Judicial.

El primer gobernador de Michoacán fue Antonio de Castro.

Federalismo y centralismo

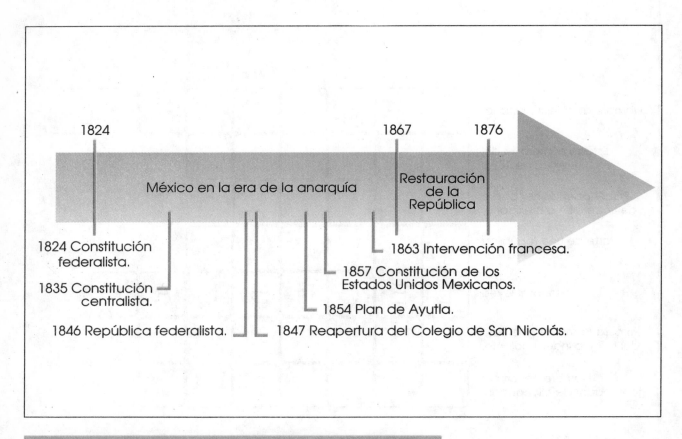

1824

1867   1876

México en la era de la anarquía

Restauración
de la
República

1824 Constitución
federalista.

1835 Constitución
centralista.

1846 República federalista.

1863 Intervención francesa.

1857 Constitución de los
Estados Unidos Mexicanos.

1854 Plan de Ayutla.

1847 Reapertura del Colegio de San Nicolás.

¿Qué es una república centralista?
¿Qué se entiende por una república federal?

Desde la conformación de la República Mexicana, existieron dos propuestas de gobierno, los llamados *centralistas* que querían una república centralista, en donde la capital tiene el derecho de gobernar a todas las provincias, y los denominados *federalistas*, que estaban de acuerdo con la república federal, que es la forma de organización de un país, en la que cada provincia se convierte en un estado libre y soberano.

Guadalupe Victoria y Vicente Guerrero fueron presidentes de México y partidarios del federalismo.

En Michoacán, los gobernadores Antonio de Castro y José T. Salgado apoyaron al federalismo. Durante el gobierno de Salgado se llevó a cabo la expulsión de los españoles que aún vivían en territorio michoacano.

En el año de 1829, el general Anastacio Bustamante desconoció al general Vicente Guerrero y pretendió establecer una república centralista.

En Michoacán, Juan José Collados y Gordiano Guzmán defendieron el federalismo, haciendo los siguientes pronunciamientos:

- Desconocimiento de Anastacio Bustamante y sus seguidores.

- Ninguna persona partidaria del centralismo podría obtener empleo en la República Mexicana.

- Todos los jefes y oficiales que habían participado en contra del ejército federal serían separados.

- Dar cumplimiento a las leyes de expulsión de los españoles.

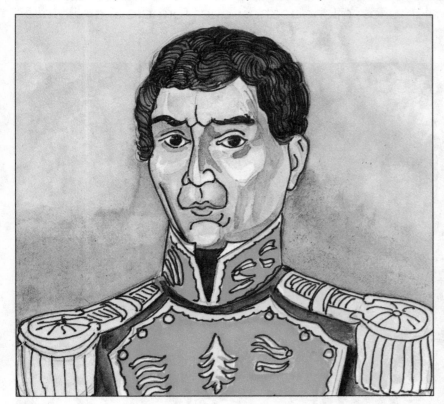

Gordiano Guzmán.

Durante el gobierno de José María Silva, en el año de 1834, hubo una insurrección contra el gobierno federal encabezada, en Michoacán, por et general Isidro Reyes. Al triunfo de la revuelta centralista, asumió el cargo de gobernador de Michoacán el coronel José de Ugarte y después Juan Manuel de Olmos.

En el año de 1835, según la constitución centralista, los estados de la República Mexicana se convirtieron en departamentos. Michoacán fue uno de los 24 departamentos en que se dividió México.

Estos años de lucha entre federalistas y centralistas provocaron conflictos entre la población.

La república federal fue apoyada por rancheros dedicados a la agricultura, también por pequeños propietarios, medieros y comuneros que pensaron que el federalismo era una opción más democrática para el desarrollo económico y social del país.

En el año de 1846 se volvió a instalar el régimen federal y Melchor Ocampo ocupó el cargo de gobernador de Michoacán. Nacido en 1814, en la hacienda de Pateo, valle de Maravatío, fue experto en botánica y agricultura. Redactó varias de las Leyes de Reforma.

Las luchas internas de México, entre federalistas y centralistas, provocaron que los habitantes del norte, principalmente los de Texas, decidieran separarse de México. Estados Unidos deseaba adquirir los territorios de Texas, Nuevo México y California. Para lograr este propósito declaró la guerra a México.

Para participar en la lucha contra los estadounidenses, Melchor Ocampo organizó un grupo de voluntarios michoacanos que formaron el *Batallón Matamoros*.

Melchor Ocampo integró el Batallón Matamoros. Detalle del mural *Importancia de Hidalgo en la Independencia*, pintado por Alfredo Zalce en el Palacio de Gobierno estatal.

Durante la guerra con Estados Unidos, México perdió más de la mitad de su territorio.

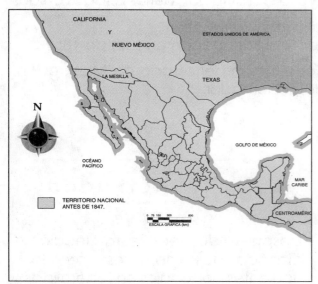

México antes de 1847.

México después de 1847.

El Plan de Ayutla

Los partidarios del centralismo culparon a los federalistas de la pérdida del territorio nacional e implantaron de nueva cuenta el régimen centralista, nombrando presidente de México al general Antonio López de Santa Anna.

No todos estuvieron de acuerdo con este hecho. El primero de marzo de 1854, los federalistas Juan Álvarez e Ignacio Comonfort, mediante el *Plan de Ayutla*, invitaron a los mexicanos para luchar contra el dictador Santa Anna. En Michoacán, el general Gordiano Guzmán fue el primero que apoyó al movimiento antisantanista; sin embargo, fue aprehendido y fusilado el 11 de abril de 1854.

Después surgieron otras personas que apoyaron el Plan de Ayutla. Epitacio Huerta, desde Coeneo, inició la campaña militar contra Santa Anna. En enero de 1855, el movimiento iniciado en Ayutla se fortaleció en Michoacán, debido a que en Coeneo se reunieron todos los jefes militares y nombraron a Santos Degollado como jefe supremo de la revolución en Michoacán.

La lucha siguió hasta que Santa Anna abandonó el poder en el mes de agosto. El triunfo de la revolución, con la colaboración de los michoacanos, permitió que se pusieran en práctica medidas radicales para vencer a los centralistas. De acuerdo con el Plan de Ayutla, se elaboró la Constitución de los Estados Unidos Mexicanos de 1857.

Santos Degollado fue nombrado gobernador de Michoacán en julio de 1857.

En febrero de 1858 se publicó la nueva Constitución del estado de Michoacán, ocupando Miguel Silva Macías el puesto de gobernador.

Miguel Silva Macías.

 **Actividad**

Después de leer esta lección, clasifica los nombres de los siguientes personajes en federalistas y centristas: Antonio de Castro, José T. Salgado, Gordiano Guzmán, Isidro Reyes, José de Ugarte, Juan Manuel de Olmos, Melchor Ocampo, Epitacio Huerta, Santos Degollado, Ignacio Comonfort y Miguel Silva Macías.

Posteriormente, escribe la diferencia entre federalistas y centralistas.

 La definición del tipo de república en que se habría de constituir México causó muchas discusiones y guerras entre centralistas y federalistas.

Melchor Ocampo fue una figura sobresaliente en el grupo de los federalistas.

La revolución originada por el Plan de Ayutla fue apoyada, en Michoacán, por Gordiano Guzmán, Epitacio Huerta y Santos Degollado.

La Constitución de los Estados Unidos Mexicanos de 1857 y la del estado de Michoacán de 1858, son resultados de la participación de los federalistas.

Segundo Imperio y restauración de la República

Al proclamarse la Constitución de 1857, Ignacio Comonfort fue designado presidente de México y Benito Juárez presidente de la Suprema Corte de Justicia. Los ideales liberales de la Constitución provocaron conflictos. Ignacio Comonfort renunció a la presidencia y tomó su lugar Benito Juárez. Los **conservadores** nombraron a Félix Zuloaga y se apoderaron de la ciudad, iniciando así la Guerra de Reforma o de los Tres Años. Los liberales defendieron las leyes aprobadas constitucionalmente. Al final triunfaron y dieron a conocer las Leyes de Reforma.

Mediante las Leyes de Reforma se nacionalizaron los bienes de la Iglesia, se suprimieron las comunidades religiosas. El gobierno quedó separado de la religión y la vida civil de las instituciones religiosas.

Los conservadores mexicanos buscaron apoyo en otros países.

En la década de 1860, México sufrió la invasión de Francia. Los franceses, apoyados por conservadores mexicanos, derrocaron al gobierno republicano y liberal dirigido por Benito Juárez. Organizaron un Imperio en el que Maximiliano de Habsburgo, hermano del emperador de Austria, fue nombrado emperador de México.

El apoyo a los liberales fue otorgado por los artesanos, pequeños comerciantes, rancheros y los chinacos en diversos lugares michoacanos.

Los chinacos fueron hombres libres de a caballo que se convirtieron en un fuerte apoyo rural para la causa liberal; entre ellos destacó la actividad de Nicolás Romero, quien participó junto con Nicolás Régules en la batalla de Tacámbaro, en la cual los michoacanos derrotaron a los soldados belgas de la guardia personal de la emperatriz Carlota.

Nicolás Romero.

La invasión francesa llegó a Michoacán el 27 de noviembre de 1863. Una vez ocupada la ciudad de Morelia, se nombró un prefecto imperial y se regresaron algunas propiedades expropiadas al clero. Mientras tanto, el gobierno michoacano se instaló en Uruapan y se inició la impresión del periódico oficial *La República*.

Las canciones reanimaban la actividad guerrillera y los movimientos clandestinos.

Dicen que vienen los belgas

bajando por el parral;

que vengan o que no vengan,

por nosotros es igual.

Churumbela de mi vida,

churumbela de mi amor;

a la guerra van los hombres

¡Válgame Dios!, ¡qué dolor!

Vicente Riva Palacio.

El general Vicente Riva Palacio, gobernador de Michoacán durante la intervención francesa, instaló su gobierno en Tacámbaro, y el cuartel general del *Ejército del Centro* para organizar la defensa de la República.

En el año de 1866, el gobierno estatal dirigido por el general Nicolás Régules sólo dominaba en las regiones de Tacámbaro, Ario, Apatzingán, Huetamo y Zitácuaro.

El resurgimiento republicano se debió, entre otras razones, a la imposibilidad de Francia de mantener un imperio en América. Los franceses abandonaron a Maximiliano y el Imperio comenzó a desintegrarse.

Cuando Carlota Amalia, esposa de Maximiliano, regresó a Europa para pedir ayuda, Vicente Riva Palacio le compuso unos versos que fueron cantados por primera vez en Huetamo.

Carlota Amalia, emperatriz de México.

Alegre el marinero

con voz pausada canta,

y el ancla ya levanta

con extraño rumor.

La nave va en los mares,

botando cual pelota:

¡Adiós, mamá Carlota,

adiós mi tierno amor!

El día 18 de febrero de 1867, el gobernador Justo Mendoza llegó a Morelia para reinstalar el gobierno republicano y envió a Querétaro el *Batallón Morelos* para la lucha final contra la intervención francesa.

El 19 de junio de 1867, Maximiliano fue fusilado en el cerro de las Campanas en Querétaro, terminando así el Segundo Imperio Mexicano.

La etapa de la historia de México conocida como Restauración de la República (1867-1876), permitió la conformación del México del siglo diecinueve.

Los problemas que enfrentó el gobernador Justo Mendoza fueron: pago de la deuda pública, salarios a la guardia nacional, control de algunos municipios por los conservadores y reconstrucción de muchas poblaciones.

Durante el gobierno de Justo Mendoza comenzó la industrialización del estado. Se estableció una fábrica de hilados y tejidos en Morelia; el desarrollo de las industrias manufactureras y fabriles propiciaron el auge de la agricultura y el comercio.

Justo Mendoza,
gobernador de Michoacán.

129

Actividad

Con la información de esta lección, escribe las indicaciones del crucigrama. Observa el ejemplo y completa lo que falta.

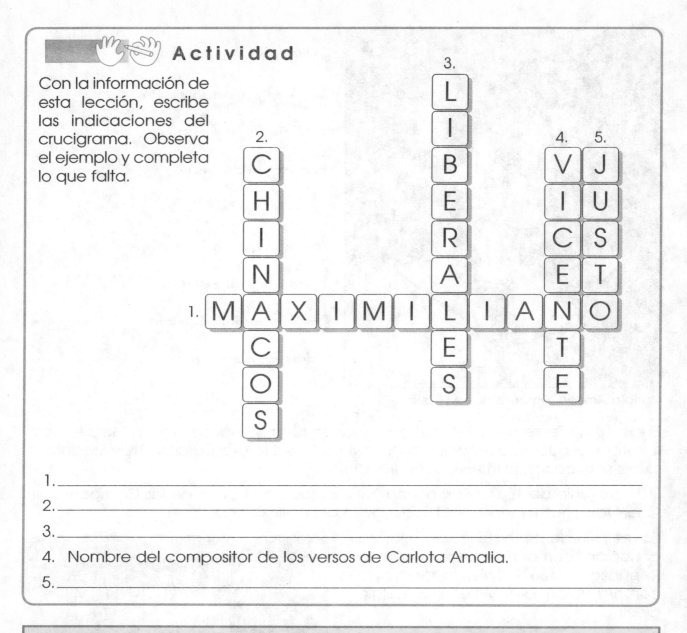

1. M A X I M I L I A N O

2. C H I N A C O S

3. L I B E R A L E S

4. V I C E N T E

5. J U S T O

1. _____

2. _____

3. _____

4. Nombre del compositor de los versos de Carlota Amalia.

5. _____

El triunfo de Benito Juárez y la aplicación de las Leyes de Reforma provocaron que los conservadores buscaran el apoyo de otros países, para luchar contra los representantes de la República Federal Mexicana.

Las pugnas entre liberales y conservadores propiciaron la intervención francesa, dando origen al Segundo Imperio Mexicano.

Vicente Riva Palacio y Nicolás Régules dirigieron a los michoacanos en su lucha contra el imperio.

Cuando triunfó la república, el gobernador Justo Mendoza se encargó de restaurar y fortalecer a la República Federal, iniciando la industrialización de Michoacán.

Gobernadores porfiristas en Michoacán

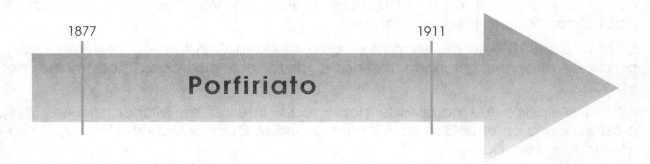

1877   1911

Porfiriato

El periodo comprendido entre 1877 y 1911 se llama *Porfiriato*, debido a la participación de Porfirio Díaz en la vida política de México.

En el primer periodo de gobierno del general Díaz, de 1877 a 1880, los ideales que tenía eran *la no reelección, la Constitución de 1857, la Reforma, la paz* y *el progreso material*. Los ideales de paz y progreso continuaron cuando Manuel González fue presidente de México. En 1884, Porfirio Díaz volvió a la presidencia de la República y mediante cambios hechos a la Constitución se reeligió varias veces, permaneciendo en el poder hasta el año de 1911. El progreso material de esta época se manifestó en la construcción de vías férreas, aumento de las industrias, desarrollo del comercio y construcción de obras públicas.

¿Quiénes gobernaron en Michoacán durante el Porfiriato?

Un amigo de Porfirio Díaz, el general Mariano Jiménez, fue gobernador de Michoacán en el periodo 1885-1889. En estos años se intensificó la explotación de las minas y se otorgaron permisos a los interesados en establecer compañías mineras, principalmente a los extranjeros.

El 24 de noviembre de 1886 se suprimió el pago de las alcabalas, impuestos recibidos por los municipios, y a partir del 1º de diciembre todas las mercancías nacionales que se consumieron en el estado pagaron un impuesto estatal que se llamó Derecho de Consumo.

General Mariano Jiménez.

131

En este mismo año se estableció el Museo de Historia Natural. El director fue Nicolás León, científico que hizo estudios sobre el ser humano y la naturaleza.

En el año de 1888 se estableció, en Morelia, una sucursal del Banco de Londres-México y Sudamérica.

Para facilitar el transporte de productos artesanales e industriales, se construyeron caminos carreteros entre Pátzcuaro y Ario de Rosales, entre Uruapan y Apatzingán, y de la Piedad a Zamora.

En el año de 1889 se modificó el artículo 48 de la Constitución de Michoacán, para que el general Mariano Jiménez pudiera reelegirse como gobernador del estado.

Aristeo Mercado fue nombrado gobernador interino de Michoacán en 1891, a causa de la enfermedad de Mariano Jiménez. Cuando éste murió, el nombramiento fue renovado.

En este periodo de gobierno, las inversiones de los extranjeros fueron apoyadas para que se dedicaran a la explotación de las minas y de las tierras agrícolas.

Aristeo Mercado, gobernador porfirista de Michoacán.

Las tierras comunales de los michoacanos se repartieron a los particulares. Esta situación fue aprovechada por muchas personas para crear grandes haciendas y enriquecerse.

Aristeo Mercado se perpetuó en el poder, siendo gobernador de Michoacán hasta el año de 1911.

La producción ganadera se incrementó. Por ejemplo, se puede decir que en Uruapan se instaló una empacadora de carne para llevar este producto a otros lugares.

 # Actividad

A continuación aparecen datos acerca del Porfiriato, pero están desordenados. Lee la lección y escribe el número 1 al dato que aparece primero, enseguida escribe el 2, y así sucesivamente, hasta terminar con el número 8. Compara tus resultados con los de algún compañero y elabora una línea del tiempo con ellos.

Establecimiento de una sucursal del banco de Londres-México y Sudamérica. ☐	Se suprimió el pago de las alcabalas o impuestos municipales. ☐
Aristeo Mercado fue nombrado gobernador interino del estado de Michoacán. ☐	Nicolás León fue director del Museo de Historia Natural. ☐
Construcción de los caminos carreteros. ☐	El Porfiriato es el periodo comprendido entre 1877 y 1911. ☐
Mariano Jiménez fue gobernador de Michoacán. ☐	Reelección del gobernador Mariano Jiménez. ☐

 El Porfiriato es el periodo durante el cual Porfirio Díaz se mantiene en la presidencia, entre 1877 y 1911.

Mariano Jiménez y Aristeo Mercado fueron gobernadores porfiristas de Michoacán. Apoyaron la explotación minera y agrícola realizada por grupos de mexicanos y extranjeros.

Durante este tiempo, las tierras comunales se repartieron entre los particulares.

Las haciendas crecieron y los grandes hacendados se enriquecieron.

Se construyeron caminos carreteros para facilitar el transporte de los productos industriales, artesanales, mineros y agrícolas.

Introducción del ferrocarril en Michoacán

¿Para qué se introdujeron las vías férreas en Michoacán?

Antes de la década 1880-1890, los michoacanos realizaban sus viajes a pie, en caballo, en carretas o diligencias. El transporte de mercancías lo hacían los arrieros, con sus mulas. Los viajes eran largos y las mercancías tardaban mucho tiempo en llegar a su destino.

A mediados del siglo diecinueve, la arriería ocupaba un lugar muy importante en la economía estatal, siendo el medio principal para las actividades comerciales.

La cultura popular también hizo referencia a la vida de los arrieros.

Arrieros de Michoacán.

Oiga amigo, su carreta

no se le vaya a atascar

avísele a los yunteros

que lo vengan a sacar.

Tomo la pluma en la mano

para escribir en el mar

los trabajos que pasé

en ese camino real.

El progreso material, impulsado en Michoacán por las compañías extranjeras y las grandes haciendas, se enfrentó con el problema del transporte de las mercancías hecho por los arrieros, debido a que éste era lento.

Las compañías extranjeras, apoyadas por los gobernadores porfiristas, estaban interesadas en la producción minera, agrícola, ganadera y forestal de Michoacán, y necesitaban un medio de transporte más rápido. Consideraron que la construcción de vías férreas les resolvería este problema.

En Morelia se pensó en usar el ferrocarril para unir las regiones productivas con el centro y el norte del país. Durante el periodo 1882-1910 se hicieron varios proyectos y se construyeron algunas líneas.

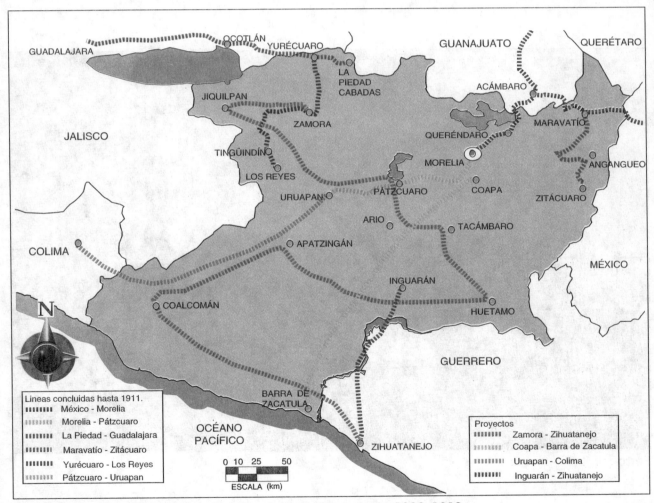

Proyectos y vías férreas construidas durante el periodo 1882-1910.

Con el propósito de mejorar la explotación minera y agrícola de la región Oriente de Michoacán, se pensó que la estación de Tultenango comunicara poblaciones de esta región. Al llegar el tren a Maravatío, hecho sucedido el 6 de febrero de 1883, se tuvo la posibilidad de transportar sus productos agrícolas. Posteriormente se construyó la vía de Maravatío a Zitácuaro.

El ramal Morelia-Pátzcuaro, inaugurado por el gobernador Mariano Jiménez el 8 de abril de 1886, permitió la exportación de los productos de la región del lago de Pátzcuaro: arroz, azúcar, añil, cacao, algodón, madera, trigo y ganado.

Después, el ferrocarril se extendió hasta Uruapan.

Ferrocarril.

Actividad

Del mapa de vías férreas, copia las líneas que se construyeron en esta época y escribe el nombre de los municipios que fueron beneficiados con este medio de transporte.

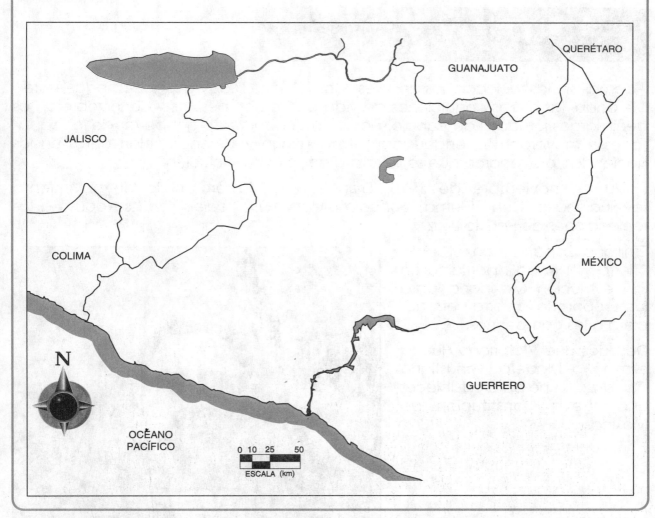

 Antes de 1880, el transporte de mercancías se realizaba mediante la arriería.

 La necesidad de llevar los productos de la agricultura, ganadería y minería a otros lugares hizo que se construyeran las líneas férreas en territorio michoacano.

El uso del ferrocarril permitió el transporte de muchas mercancías a otros lugares del país.

Los artículos transportados con mayor frecuencia fueron minerales, algodón, azúcar, arroz, madera, leña y carbón.

Michoacán y la Revolución Mexicana

¿Por qué se inició la Revolución Mexicana?
¿Para qué se luchó en México desde 1910?

Además de las reelecciones del presidente Porfirio Díaz y del gobernador Aristeo Mercado, las malas condiciones de vida de los campesinos y de los obreros, es decir, largas jornadas de trabajo, bajos salarios, maltrato por parte de los capataces y mayordomos, endeudamiento continuo y los encarcelamientos en las haciendas, provocaron que se llevara a cabo una revolución.

El 20 de noviembre de 1910, Francisco I. Madero inició el movimiento revolucionario. Con el lema "*Sufragio efectivo. No reelección*", se opuso a las reelecciones de Porfirio Díaz.

Emiliano Zapata, con el lema "Tierra y libertad", participó en la Revolución Mexicana para luchar porque la tierra perteneciera a los campesinos.

Después que Victoriano Huerta eliminó a Madero, Venustiano Carranza luchó para establecer una nueva Constitución de México.

Francisco I. Madero.

138

¿Quiénes hicieron la Revolución en Michoacán?

Con el propósito de apoyar a Madero, se reunían en la casa del doctor Miguel Silva González los simpatizantes del movimiento revolucionario, entre los que se encontraban Salvador Escalante y Pascual Ortiz Rubio.

Salvador Escalante organizó un levantamiento armado en Santa Clara del Cobre.

Los seguidores del doctor Silva formaron un círculo político llamado *Paz y Unión*. Posteriormente, se conformó el partido silvista *Libertad y Orden* y se elaboró un programa de gobierno que incluyó los siguientes puntos:

- Libertad absoluta de ideas y de sufragio.
- Independencia de los poderes Legislativo, Ejecutivo y Judicial.
- Trabajar en beneficio de la salud de los habitantes.
- Combatir el alcoholismo.
- Atención a la instrucción pública.
- Prohibir la tala de bosques.

Doctor Miguel Silva González, gobernador maderista de Michoacán.

Siendo gobernador de Michoacán, el doctor Silva se preocupó por nombrar en los puestos de mayor importancia a nuevos elementos que fueran del agrado del pueblo y buenos conocedores de los cargos que se les encomendaban; sin embargo, esto no fue suficiente y los levantamientos armados continuaron, por ejemplo, Jesús García se levantó en armas en Tangancícuaro para apoyar a Salvador Escalante.

El 30 de mayo de 1911, mediante un acuerdo entre Miguel Silva González y Salvador Escalante, las tropas maderistas hicieron su entrada triunfal a Morelia.

Las obras más importantes del gobernador Silva fueron: establecimiento de centros educativos, entre los que destaca un plantel para la enseñanza de los obreros; creación de la escuela agrícola en Vista Hermosa de Negrete; casa de beneficencia *La Gota de Leche*, que tuvo como finalidad proporcionar dicho alimento a los hijos de los trabajadores.

El triunfo de la revolución constitucionalista, bajo la dirección de Venustiano Carranza, permitió que Gertrudis G. Sánchez se hiciera cargo del gobierno de Michoacán, el 2 de agosto de 1914.

El 23 de septiembre, el gobernador Sánchez recogió los bienes de los enemigos de la Revolución, con el fin de pagar los daños y perjuicios que sufrió la nación.

También se anularon los adeudos que tenían los peones con los dueños de las haciendas, pudiendo buscar trabajo remunerado en otros lugares.

Gertrudis G. Sánchez, gobernador de Michoacán.

El 26 de abril de 1915, los constitucionalistas llegaron a Morelia, dirigidos por Alfredo Elizondo.

Alfredo Elizondo fue nombrado gobernador de Michoacán y organizó campañas militares para derrotar a los otros grupos revolucionarios de Michoacán, quienes recibieron el nombre de *bandoleros*.

La figura central de este tipo de actividades fue José Inés Chávez García, quien a partir de 1915 encabezó un *ejército de bandoleros*.

El 7 de junio de 1915, Elizondo prohibió la venta de bienes raíces a los extranjeros y privó de algunas propiedades al clero.

Alfredo Elizondo, gobernador de Michoacán.

 Actividad

Haz una línea de tiempo con los hechos de la Revolución Mexicana en Michoacán.

La Revolución Mexicana se hizo para impedir la reelección de los gobernantes y para lograr que los campesinos y los obreros mejoraran sus condiciones de vida.

En nuestro país, los líderes más destacados fueron Francisco I. Madero, Emiliano Zapata y Venustiano Carranza; en Michoacán sobresalieron Miguel Silva González, Salvador Escalante, Gertrudis G. Sánchez y Alfredo Elizondo.

Gertrudis G. Sánchez y Alfredo Elizondo fueron gobernadores de Michoacán.

Gobiernos constitucionales

Venustiano Carranza inició, en 1913, un movimiento armado que luchó por la elaboración de una nueva Constitución de los Estados Unidos Mexicanos, promulgada el 5 de febrero de 1917.

Venustiano Carranza en compañía de los diputados michoacanos en el Congreso Constituyente.

En Michoacán se inició la era de los gobiernos constitucionales, siendo Pascual Ortiz Rubio el primer gobernador. El gobierno michoacano también actualizó la constitución estatal, reformando la de 1858. El día 5 de febrero de 1918 se promulgó la nueva Constitución de Michoacán.

Algunos de los artículos de la Constitución estatal de 1918 son los siguientes:

Artículo   5 Son michoacanos: los mexicanos que nacen en el estado, los hijos de michoacanos que nacen en otros lugares y los mexicanos que vivan en territorio michoacano durante más de un año.

Artículo 13 Michoacán tiene un gobierno republicano, representativo y popular.

Artículo 129 El gobierno estatal procura el desarrollo de todos los habitantes del estado y la distribución justa de la riqueza. Además, organiza los servicios públicos que se ofrecen a toda la población.

Durante el periodo de gobierno de Ortiz Rubio se hicieron dotaciones de tierras a los campesinos de varias poblaciones. La Asociación Femenil Industrial fue creada en septiembre de 1917 y se integró con las trabajadoras de los talleres de corte y confección, convirtiéndose en el primer intento para organizar a las mujeres trabajadoras.

En relación con la salud pública, Ortiz Rubio organizó el Congreso de Salubridad para vigilar el estado higiénico de la ciudad, aplicar vacunas y dar consultas médicas gratuitas.

En el año de 1917 se decretó la fundación de la Universidad Michoacana de San Nicolás de Hidalgo.

Universidad Michoacana de San Nicolás de Hidalgo.

En el año de 1920, el general Francisco José Múgica Velázquez fue nombrado gobernador constitucional del estado de Michoacán.

Múgica había nacido en Tingüindín el 3 de septiembre de 1884; siendo joven aún se dio cuenta de los problemas del gobierno porfirista de México y denunció las actividades del gobernador Aristeo Mercado: principalmente el apoyo a los inversionistas extranjeros y el despojo de las comunidades campesinas.

También participó en la Revolución y en la elaboración de la Constitución nacional de 1917.

Para el gobierno de Múgica, la cuestión más importante fue la solución del problema **agrario**. Para resolverlo contó con la colaboración de Isaac Arriaga, quien fue nombrado jefe de la Comisión Local Agraria, cuyo objetivo era asesorar a los campesinos y promover la creación de organizaciones agrarias y sindicales.

Durante su gobierno se apoyó a la educación, creando escuelas nocturnas para trabajadores, impulsando a la escuela de artes y oficios y a la Universidad Michoacana.

Francisco José Múgica Velázquez.

Isaac Arriaga.
Monumento junto al
acueducto de Morelia.

Actividad

Colorea cada rectángulo, de acuerdo con el nombre que se puede formar y las indicaciones que asocian algún hecho con este nombre.

G	A	I
A	R	R
▨	A	▨

M	U	▨
▨	G	▨
	I	C	A

C	O	N
I	O	S
C	N	T
U	T	I

R	R	A
A	C	N
▨	A	Z

P	A	▨
	S	C	U
▨		A	L

 Conjunto de leyes de un país.

 Primer gobernador constitucional de Michoacán.

 Jefe de la Comisión Local Agraria en el gobierno de Múgica.

Iniciador de la revolución constitucionalista de México.

Gobernador de Michoacán en 1920.

 El 5 de febrero de 1917 se promulgó la Constitución Política de los Estados Unidos Mexicanos.

El 5 de febrero de 1918 se promulgó la Constitución Política del Estado de Michoacán.

Pascual Ortiz Rubio y Francisco José Múgica Velázquez fueron gobernadores constitucionales de Michoacán, quienes se interesaron en la solución de los problemas agrarios, educativos y obreros de los michoacanos.

Lázaro Cárdenas, gobernador de Michoacán

Durante el gobierno de Álvaro Obregón, presidente constitucional de los Estados Unidos Mexicanos en el periodo 1920-1924, se inició el reparto de tierras y la elaboración de las bases para reconstruir los ejidos. Obregón favoreció la formación de organizaciones sindicales.

En ese tiempo, con la colaboración de José Vasconcelos, secretario de Educación, se llevaron a cabo campañas de alfabetización.

Adolfo de la Huerta encabezó una rebelión contra el gobierno de Álvaro Obregón, pero fue derrotado.

Posteriormente, Plutarco Elías Calles fue presidente de México durante los años 1924-1928. Tenía ideas progresistas y estableció relaciones amistosas con los obreros y los campesinos.

Álvaro Obregón, presidente de México 1920-1924.

Plutarco Elías Calles, presidente de México 1924-1928.

¿Qué sucedió en Michoacán en esos tiempos?

El día 21 de mayo de 1895 nació Lázaro Cárdenas del Río, en Jiquilpan de Juárez. A la edad de 16 años, Lázaro tuvo que trabajar para hacerse cargo de su familia, debido a la muerte de su padre. En julio de 1913 se incorporó a las fuerzas revolucionarias, realizando una brillante carrera militar. En 1915 se incorporó a las fuerzas de Sonora bajo las órdenes de Plutarco Elías Calles. En febrero de 1919 lo enviaron a la Huasteca para luchar contra las *guardias blancas* que reprimían a los trabajadores de las compañías petroleras.

146

Lázaro Cárdenas fue gobernador interino de Michoacán, del 11 de junio al 2 de julio de 1920 primero y después del 3 de agosto al 15 de septiembre.

En el año de 1923, durante la rebelión de Adolfo de la Huerta, Álvaro Obregón ordenó a Lázaro Cárdenas que se encargara de las operaciones militares en Jalisco y Colima. También fue jefe de operaciones militares en Michoacán y en la Huasteca.

El día 10 de enero de 1928, Lázaro Cárdenas fue candidato a gobernador de Michoacán. En su programa de gobierno señaló los siguientes puntos:

- Dotar de tierra a los campesinos y de medios para cultivarla mejor.

- Fomentar la educación de las clases populares.

- Apoyar la organización de los trabajadores.

Apoyado por el presidente de la República, general Plutarco Elías Calles, Lázaro Cárdenas del Río se convirtió en gobernador de Michoacán el día 16 de septiembre de 1928.

Lázaro Cárdenas del Río.

En el periodo de gobierno de Cárdenas se repartieron **parcelas** a los campesinos de muchos pueblos y se crearon escuelas.

En enero de 1929 se organizó una agrupación de obreros y campesinos de todo el estado, la que recibió el nombre de Confederación Revolucionaria Michoacana del Trabajo. Los integrantes de este organismo social y político se convirtieron en la mano derecha del gobernador.

En el año de 1930 se expidió la Ley de Tierras Ociosas, mediante la cual se declararon de utilidad pública las tierras de labor que no eran cultivadas. Si un campesino solicitaba trabajar ese tipo de tierras, la ley le permitía laborarla durante dos o tres años y lo obligaba a pagar al dueño con una parte de la cosecha.

147

El gobernador Lázaro Cárdenas se preocupó por mejorar la calidad de vida de los michoacanos, por esta razón hizo campañas en favor de la prohibición de las bebidas alcohólicas.

El apoyo de una fuerte base social **agrarista** hizo que Cárdenas se convirtiera en uno de los personajes más importantes de la nueva época revolucionaria.

 **Actividad**

Haz una línea del tiempo con los hechos más importantes del periodo de gobierno de Lázaro Cárdenas.

Durante el desarrollo del periodo constitucional de gobierno de Lázaro Cárdenas, éste tuvo que realizar actividades militares y políticas a nivel nacional. Dirigió campañas militares en contra de las sublevaciones de inconformes con el gobierno. Presidió el comité ejecutivo del Partido Nacional Revolucionario. Fue secretario de Gobernación en el gabinete del presidente Pascual Ortiz Rubio.

El 15 de septiembre de 1932 se terminó el periodo de gobierno estatal del general Lázaro Cárdenas del Río.

Posteriormente fue electo presidente de México, cargo que desempeñó durante los años 1934-1940.

Se le recuerda por la Ley de **Expropiación** de 1936, la que permitió nacionalizar los ferrocarriles el 23 de junio de 1937, y las instalaciones de la industria del petróleo el 18 de marzo de 1938.

Expropiación petrolera.
Fotografía en el Museo Michoacano.

 Lázaro Cárdenas del Río fue gobernador de Michoacán en el periodo 1928-1932.

 En 1929, organizó la Confederación Revolucionaria Michoacana del Trabajo.

En 1930, expidió la Ley de Tierras Ociosas.

Vida y actividades de los michoacanos

En las lecciones anteriores se ha presentado una relación de los hechos que permitieron a los michoacanos participar en la integración de un país.

En las diferentes épocas de la historia, la vida de las personas y las actividades que llevan a cabo sufren cambios. Enseguida se presentan algunas actividades en las que destaca la participación de Michoacán y que han permitido mejorar la calidad de vida de sus habitantes.

¿Qué hacen los michoacanos?

Las actividades agrícolas permiten obtener gran variedad de productos. La producción de aguacate en Michoacán es tan grande que el estado ocupa el primer lugar a nivel nacional, con el garbanzo y el limón se ocupa el tercer lugar, con el ajonjolí y el sorgo el cuarto.

De Guanajuato y Michoacán se obtiene casi toda la fresa de México.

La ganadería es otra de las actividades importantes de los michoacanos. Destaca la región Ciénega, que cuenta con adecuada tecnología, alimentos para el ganado y vías de comunicación para transportar los productos. Junto con Veracruz y Jalisco, Michoacán es uno de los principales productores de ganado bovino.

Los productos ganaderos de mayor importancia son la carne de cerdo, de res y de aves; así como leche, huevo, miel y cera.

La pesca permite obtener mojarra, carpa, charal, tiburón, guachinango, jaiba, tortuga y ostión.

El aguacate, fresa, melón y sandía se exportan a otros países.

Ganado bovino.

149

El potencial minero de Michoacán es amplio, cerca de 32 municipios poseen yacimientos de importancia. En Angangueo se obtiene oro, plata, plomo, zinc y barita; en Coalcomán se obtiene plata, plomo, cobre, zinc y barita; en Tingambato se extrae cobre y en Churumuco oro. La planta siderúrgica de Lázaro Cárdenas colabora en la obtención de fierro, zinc y plata.

La electricidad se genera en plantas **hidroeléctricas** y **geotermoeléctricas**. Se usa en las viviendas, molinos de nixtamal, tortillerías, alumbrado público, bombeo de agua y en la industria.

Planta geotermoeléctrica.

Michoacán tiene muchos recursos forestales. La explotación de estas riquezas coloca a Michoacán, junto con Chihuahua y Durango, entre los principales productores **silvícolas** del país. Se estimula la explotación forestal en la entidad y se propicia el establecimiento de diversos tipos de industrias, entre las que se cuentan aserraderos, fábricas de empaques, muebles y resinas.

La explotación forestal requiere que se apliquen programas de reforestación, se impulsen a los procesos de transformación, se otorguen créditos y asesoría técnica, y se construyan carreteras para el transporte de los productos.

En Michoacán se observa un proceso de modernización en los medios de comunicación. Los medios tradicionales, correo y telégrafo, pierden importancia en comparación con los medios modernos, teléfono y fax. La radio, la televisión, los periódicos y las revistas informan a los michoacanos acerca de los acontecimientos de todo el mundo.

Michoacán tiene magníficas perspectivas en materia turística, gracias a la belleza de sus parques nacionales y recreativos, sus playas, el arte colonial de sus ciudades, sus artesanías y sus lugares pintorescos.

También es importante señalar que la vida de los michoacanos ha mejorado debido, entre otras causas, a la labor que llevan a cabo las instituciones de seguridad social. Éstas ofrecen servicios médicos generales y especiales, odontológicos, pláticas de educación para la salud, consultas de planificación familiar, campañas de vacunación contra el tétanos, sarampión, rabia y tifoidea.

Instituto Mexicano del Seguro Social.

 **Actividad**

El correo

Escribe cartas a tus compañeros en las que les informes sobre la vida actual en la entidad.

Observa el ejemplo:

"José: Hoy aprendimos que en Michoacán la vida de los habitantes ha mejorado, debido a la labor de las instituciones de seguridad social. Por ejemplo, el Instituto Mexicano del Seguro Social."

Después, cada alumno leerá en voz alta las cartas recibidas.

 Michoacán ocupa el primer lugar, a nivel nacional, en la producción de aguacate.

 Michoacán es uno de los principales estados productores de ganado bovino.

Los pescadores michoacanos obtienen mojarra, carpa, charal, tiburón, guachinango, jaiba, tortuga y ostión.

El turismo es una actividad importante para el futuro de Michoacán.

La industria y la explotación forestal también se desarrollan en Michoacán.

Cultura y manifestaciones artísticas

La cultura de un pueblo se manifiesta en todas las actividades de sus habitantes. En Michoacán se le puede apreciar en los museos, las casas de la cultura, las instituciones educativas, la música, la pintura, la poesía, las artesanías y las fiestas tradicionales.

Los museos y las casas de la cultura se dedican a promover el conocimiento de las obras de los michoacanos y el desarrollo de habilidades artísticas. Por ejemplo, en nuestro estado se llevan a cabo concursos infantiles de pintura, dibujo, declamación y danza.

La educación permite adquirir conocimientos que capacitan a las personas para tener un empleo y para enfrentar los problemas que la vida plantea constantemente.

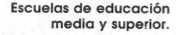

Escuelas de educación media y superior.

La música y la danza son actividades artísticas con tradición en Michoacán. El Conservatorio de las Rosas tiene una escuela de música que ha formado especialistas en las diferentes ramas de este arte. En la actualidad destaca la obra musical de Gonzalo Chapela con su *Oración a don Vasco de Quiroga* y sus canciones *Yunuén* y *Rayito de Luna*.

La música popular de Michoacán es tocada por bandas, entre las que destacan las de Zirahuén y Pichátaro. Las coreografías que más se han difundido son las correspondientes a la danza de los viejitos y a la danza del pescado.

Danza de los viejitos.

De las obras de Alfredo Zalce, uno de los pintores michoacanos más reconocidos, destaca el mural *Importancia de Hidalgo en la Independencia*, pintado en el Palacio de Gobierno de Michoacán.

En el año de 1981 se llevó a cabo en Morelia el Primer Festival Internacional de Poesía, en el que se leyeron los escritos de poetas de muchas partes del mundo. Los siguientes versos son una muestra de los trabajos presentados por escritores michoacanos.

LAS CALLES DE LOS PUEBLOS

(Fragmento)
Luis Arceo Preciado

Las calles de los pueblos

son para que navegue

el sol.

Para matar el tedio de la vida

y dejar una flor

sobre la ruina de los días inútiles

que el tiempo se llevó.

Las calles de los pueblos

son para que navegue

el sol.

PÁTZCUARO

Tomás Rico Cano

Pátzcuaro de blasones y geranios,

de guares limpias y de brisas suaves,

de silencio y pregones cada viernes,

ya me voy de tus calles y tu cielo,

pero me llevo, sí, ¡quién me lo quita!

el más fresco jazmín de tu recuerdo.

Las artesanías de Michoacán permiten conservar tradiciones y costumbres, y son una fuente de trabajo para muchas personas. En la actualidad, los *diablos* de Ocumicho son reconocidos como un arte que se puede usar para representar hechos de la historia.

**Arte de Ocumicho.
Figuras de barro pintado.**

  **A c t i v i d a d**

Usa recortes de varios periódicos michoacanos para elaborar un álbum con noticias sobre la cultura y el arte.

Pide a tus compañeros que reúnan objetos de artesanía para montar una exposición.

La cultura y las manifestaciones artísticas de Michoacán son desarrolladas por muchos de sus habitantes.

Los museos y las casas de la cultura promueven el desarrollo cultural y artístico de los michoacanos.

Somos michoacanos y mexicanos

La historia y geografía de Michoacán nos permiten conocer los lugares y los hechos que conforman a nuestro estado. Con estos conocimientos nos damos cuenta de los problemas que han enfrentado los pobladores de este territorio.

A lo largo de las páginas de este libro, hemos conocido diferentes lugares y ciudades de Michoacán, los nombres de los grupos de pobladores indígenas, los procesos usados por los españoles para conquistar a los p'urhepechas, la vida en la colonia, las luchas para lograr la independencia, los problemas del Porfiriato y los logros de la Revolución Mexicana.

Sabemos que Michoacán tiene un territorio, una población y un gobierno definidos por la Constitución Estatal de 1918.

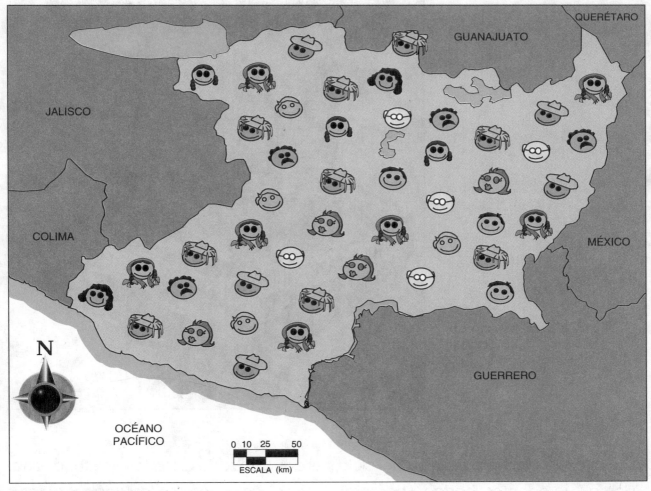

Somos michoacanos.

Los michoacanos nos identificamos por nuestro pasado común, las tradiciones y costumbres, los problemas actuales y la necesidad de participar en el progreso de nuestro estado.

La síntesis de lo que representa ser michoacanos se logra en el *Escudo del estado de Michoacán de Ocampo*, en el que se hace referencia al significado de *Michoacán* como lugar de pescadores, la historia del estado se simboliza con la figura de Morelos y las coronas de los cazoncis p'urhepechas; el desarrollo de la industria y la cultura también están presentes.

Escudo del estado de Michoacán.

El color azul indica la presencia del cielo y el agua en todo el territorio michoacano.

El lema "*Heredamos libertad. Legaremos justicia social*" resume los ideales, logros y aspiraciones de los michoacanos.

Los michoacanos, de acuerdo con el pacto federal, también somos mexicanos. Junto con los demás habitantes del territorio nacional, participamos en la vida y progreso de México.

Nos sentimos orgullosos de ser michoacanos y mexicanos.

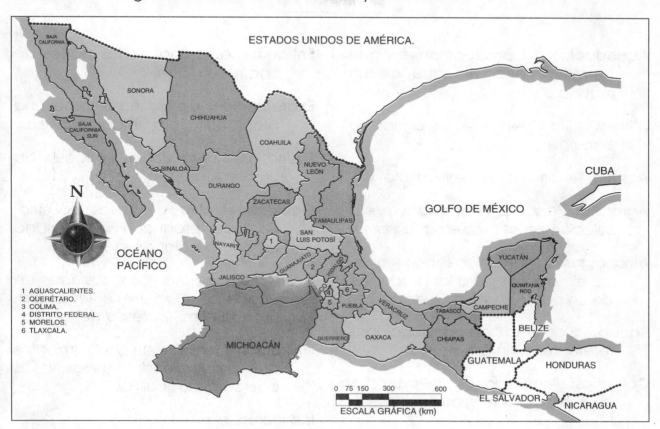

 Actividad

Escribe lo que puedes hacer, junto con tu familia, para participar en la vida futura de Michoacán.

_____

_____

_____

_____

 El escudo estatal es un símbolo que unifica a todos los michoacanos y sintetiza su historia, su presente y su futuro.

Todos los michoacanos participamos en la construcción de un estado y un país progresistas.

Glosario

Acueductos: Construcciones que permiten llevar el agua de un lugar a otro.

Afluente: Río que vierte sus aguas en otro río.

Agrario: Referente a la agricultura.

Agrarista: Personas interesadas en la solución de los problemas agrarios.

Alhóndigas: Construcciones que servían de almacenes para los productos de un pueblo, villa o ciudad.

Bando: Conjunto de disposiciones referentes a un asunto.

Cofradías: Asociaciones de personas con creencias religiosas.

Conservadores: Personas que apoyaban a la república centralista.

Conspiración: Unión de varias personas en contra de un gobierno.

Cúes: Templos de los dioses p'urhepechas.

Deán: Autoridad principal en una catedral.

Deceso: Muerte.

Depresiones: Hundimientos del relieve.

Desembocan: Desaguar un río en otro, en un lago o en el mar.

Elevaciones: Partes altas del relieve.

Entidad: Cada una de las partes de una federación.

Expropiación: Quitar legalmente una propiedad para utilidad pública.

Fauna: Conjunto de los animales de una región.

Geotermoeléctricas: Plantas industriales que producen electricidad usando el calor de la Tierra.

Hidroeléctricas: Plantas industriales en donde se produce electricidad, usando el movimiento del agua.

Ilustración: Conjunto de conocimientos que proporcionan nuevas ideas acerca de las cosas.

Indulto: Perdón.

Leyes: Reglas necesarias y obligatorias.

Leyenda: Relato que combina sucesos históricos reales e imaginarios.

Liberales: Personas que apoyaron a la república federal.

Obispado: Territorio en que ejerce autoridad espiritual un obispo.

Parcelas: Terrenos que se destinan a una actividad agrícola.

Población: Conjunto de habitantes de un lugar.

Popular: Que surge del pueblo.

Prehispánicos: Personas que vivieron antes de la llegada de los españoles.

Representativo: Gobierno que ha sido elegido por los ciudadanos para actuar en nombre de ellos.

Silvícolas: Productos obtenidos de los cerros y los montes.

Tarecua: Bastón o palo que se usa para sembrar.

Tributos: Pago en especie que tenían que hacer los pueblos conquistados.

Tropas: Conjuntos de todos los militares que no son oficiales.

Vallisoletanos: Habitantes de Valladolid.

Vasallos: Súbditos o dependientes del rey.

Vegetación: Conjunto de plantas que crecen en una región.

Voto: Derecho que tienen los ciudadanos para elegir a las personas que deberán ocupar un puesto en el gobierno o desempeñar una función.

Yácatas: Restos de algunas construcciones circulares que hicieron los habitantes prehispánicos.

Yacimientos: Lugares donde se encuentran los minerales en forma natural.

Michoacán
Historia y Geografía. Tercer grado
Se imprimió por encargo de la
Comisión Nacional de Libros de Texto Gratuitos,
en los talleres de Disigraf, S.A. de C.V.,
con domicilio en Guillermo Prieto núm. 30, col. San Rafael,
C.P. 06470, México, D.F., el mes de marzo de 2001.
El tiraje fue de 84,350 ejemplares
más sobrantes de reposición.